〔第3版〕

地域活性化への試論

――地域ブランドの視点――

片山富弘　編著

五絃舎

はじめに

地域活性化というテーマは，研究者，行政マン，実務家など多くの方々が取り組んでおられる状況であり，関心の高い分野である。本書は，地域活性化への切り口として地域ブランドからの視点で試論に至っている。

地域活性化の目的，その主体となる方も多様な状況で，展開されているのが実情ではないかと考える。そこに，マーケティング戦略の考え方を応用展開したものであり，特に地域ブランドの視点から取り組んだものである。本書は理論編と実際編の2部構成としているが，実際編では九州地域に限定したものであり，今後，もっと多くの事例の積み重ねや洞察を加えていかなければならないと思っている。

本書の執筆陣は，九州に縁のある，又は長年かかわってきた人財で構成している。それだけに地域ブランドに思い入れが強いメンバーである。ちなみに，編者の私は，2005年に「九州観光マスター検定試験」を福岡商工会議所のご依頼・ご支援のもとに立ち上げた経緯がある。当時，ご当地検定ブームであったが，単に歴史・観光分野面だけでなく，地域活性化を意識したマーケティング戦略を組み入れた。これにより，観光ビジネスよりのエキスパートを育成する目的の検定試験となっていた。本書も多少なりとも，その影響を受けている。

今回の出版企画にあたり，佐賀大学名誉教授の岩永忠康先生，長崎県立大学教授の西島博樹先生をはじめ，この分野に関心をもっている研究者仲間で企画を進め，五絃舎の長谷雅春社長に快く引き受けていただきましたことをこの場を借りまして，厚く御礼申し上げます。

2013年12月25日

執筆陣一同を代表して

片山富弘

増補改訂版発行にあたって

本書『地域活性化への試論―地域ブランドの視点―』の初版が2014年１月に発行されてから４年の歳月が過ぎ，この度，増補改訂版を発行することとなった。

増補改訂にあたって，本文に関しては必要に応じて最新のデータの変更，現時点の状況に合わせた表記，記述への変更を行った。また増補として，付論１「フードデザートへの取り組み」，付論２「地域人材の教育の必要性」を加えた。

なお，今回は諸般の事情により新たな地域の事例研究を加えることを見合わせ，次回以降に期することとした。

2018 年５月

片山富弘

第３版発行にあたって

本書は2014年に初版を世に出してから約10年になる。その間に，地域活性化の取り組みの在り方や執筆陣のメンバーに変化が生じた。時間が経過するのが早いものである。そこで，中村学園大学流通科学部の同僚の前嶋了二先生，手嶋恵美先生，草野泰宏先生にご参加頂き，新規メンバーを追加した次第である。それによって，九州の事例の幅が広がったと考える。

2023年８月

片山富弘

目　次

第Ⅱ編 実際編

本書で取り上げる地域一覧

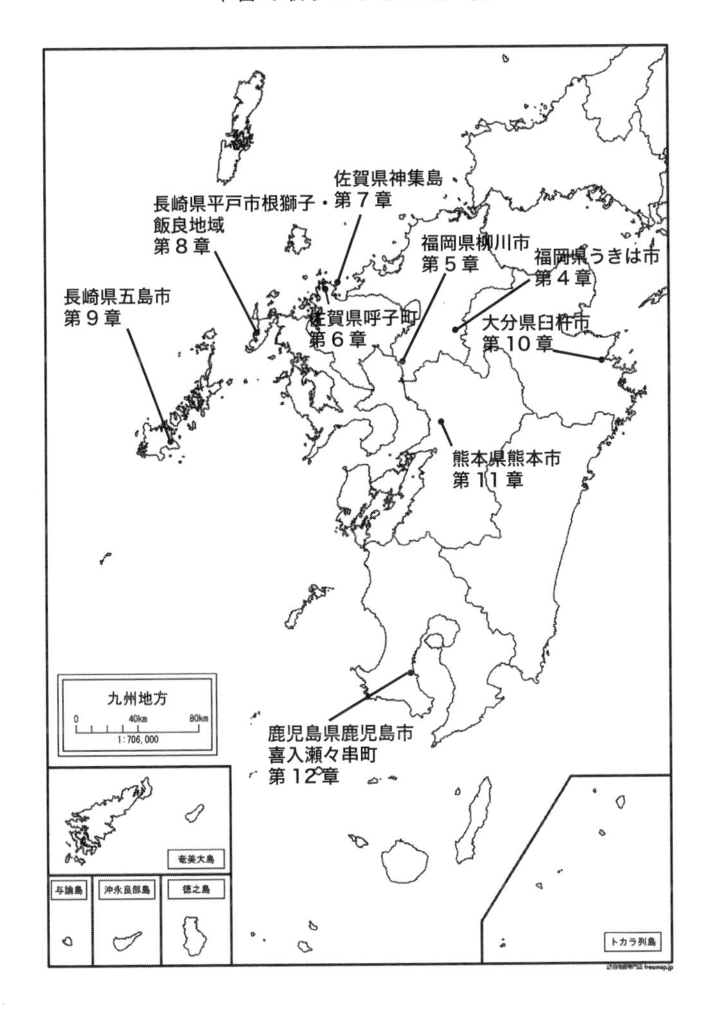

第Ⅰ編　理論編

第1章　地域活性化とマーケティング

この章では，地域活性化とマーケティングのかかわり，マーケティングの定義や戦略，顧客満足について述べている。マーケティング戦略が 4 つのタイプのマーケティングの基本である。また，顧客満足という概念については，地域活性化ビジネスのエンジンであることを認識する。

マーケティングは様々な分野とかかわりをもっているが，この章は，地域活性化とマーケティングの融合について述べている。地域活性化を対象としたマーケティングについて，すなわち，マーケティングの基礎的な考え方と展開についてふれている。それは，まず集客の仕組みを考えることであり，顧客満足を追求することであり，ブランドを構築することを意味している。マーケティングの考え方による地域活性化への展開についてふれる。

第1節　地域活性化とマーケティングのかかわり

はじめに，マーケティングの定義についてみておく。

1．マーケティング（Marketing）とは

マーケティングとは何か？顧客志向にもとづき，顧客満足の向上の為に，売れる仕組み作りを行うことである。今日までに，マーケティングは様々な定義がなされてきており，主要な定義をみてみる。

●AMA（アメリカ・マーケティング協会，1985年）

「個人や組織体の目的を満足させるために，アイデアや商品やサービスに関する企画，価格設定，販売促進，および流通を計画し，遂行する過程である。」

●AMA（アメリカ・マーケティング協会，2004年）

「マーケティングは組織的な活動であり，顧客に対し価値を創造し，価値についてコミュニケーションを行い，価値を届けるための一連のプロセスであり，更にまた，組織および組織のステークホルダーに恩恵をもたらす方法で，顧客との関係を管理するための一連のプロセスである。」

●AMA（アメリカ・マーケティング協会，2007年）

「マーケティングとは顧客，依頼人，パートナーおよび一般社会にとって，価値あるものを想像し，コミュニケーションを行い，送り届け，交換する活動，一組の精度およびプロセスである。」

定義の変遷はあるものの，そこからうかがえることは，マーケティングは単に営業，販売や市場調査だけを意味するものではない。企業組織でみた場合に，営業や販売を行う部門だけのものではなく，組織的な全社規模に及ぶものである。トップから従業員１人１人までマーケティングを理解していることがもとめられているのである。

また，マーケティングは定義の変遷にみられるように，拡大されてきている。つまり，営利組織だけでなく，非営利組織や個人も対象になり，顧客満足も社会的レベルにまで拡がっている。更に，近年では，顧客価値や顧客との関係性を重視する方向へと変化してきている。これは，リレーションシップ・マーケティングともいわれており，観光マーケティングの定義の意味合いとも密接につながっている。

２．観光とマーケティングのかかわり

観光は，主に娯楽あるいはビジネス目的で出発地から目的地までの旅行に関連した人間の活動に関するものである。旅行を支えている観光産業（宿泊業，旅行業，交通業，娯楽業，飲食業，土産品業，旅行関連業など）には，すべてマーケティングがもとめられており，単にその業界や企業だけでなく，広く地域振興にもマーケティングの考え方は導入されつつある。地域振興は，主に地域の産業振興によって行われるもので，例えば，農業，漁業，林業，畜産業，工業，

商業，観光などの振興を通じて，地域経済の発展に寄与するものである。

3．地域活性化とマーケティング

地域活性化の目的として，地域経済の活性化であり，地域文化の発見・発掘などを通じての地域における生活の向上である。

また，地域活性化の目的段階には，認知度向上段階，集客段階，定住促進段階の３つが考えられる。地域としてのイメージ作成やイメージ向上に向けた取り組み段階としての認知度向上段階である。次に，その地域に来てもらい，特産品などの購買や顧客満足を高め，リピーターを増やす段階である。そして，その地域に定住を促進する段階である。その地域の生活にあこがれ，そこで生活してもよいという段階である。３つの段階は，過疎地域や離島が主に相当する。

地域活性化の主体として，様々な主体が考えられる。観光企業，観光関連企業，地方自治体，地域住民などである。地域活性化には，そのいずれもが中心になって取り組む可能性があるが，関係する企業や団体などと協働することで巻き込みながら，広がりがみられるようになっていく。例えば，地域でしか取れないものを生産する特産品企業や，地域住民の農家が寄り集まって農産物直売所を展開することで，地域への集客を実施している。

地域活性化の中心ともいえるものは，マーケティング戦略である。そのエンジンは顧客満足であり，マーケティング戦略の派生形として，観光版といえる観光マーケティングであり，サービス業を対象としたサービス・マーケティング，農山漁村の活性化を中心としたルーラル・マーケティングなどが関係している。マーケティングとしての派生形よりも，その基本的であるマーケティング戦略が地域活性化には欠かせないのである。その結果としての効果として，経済的効果と社会文化的効果がある。図１－１に地域活性化の構図を示している。

図１－１　地域活性化の構図

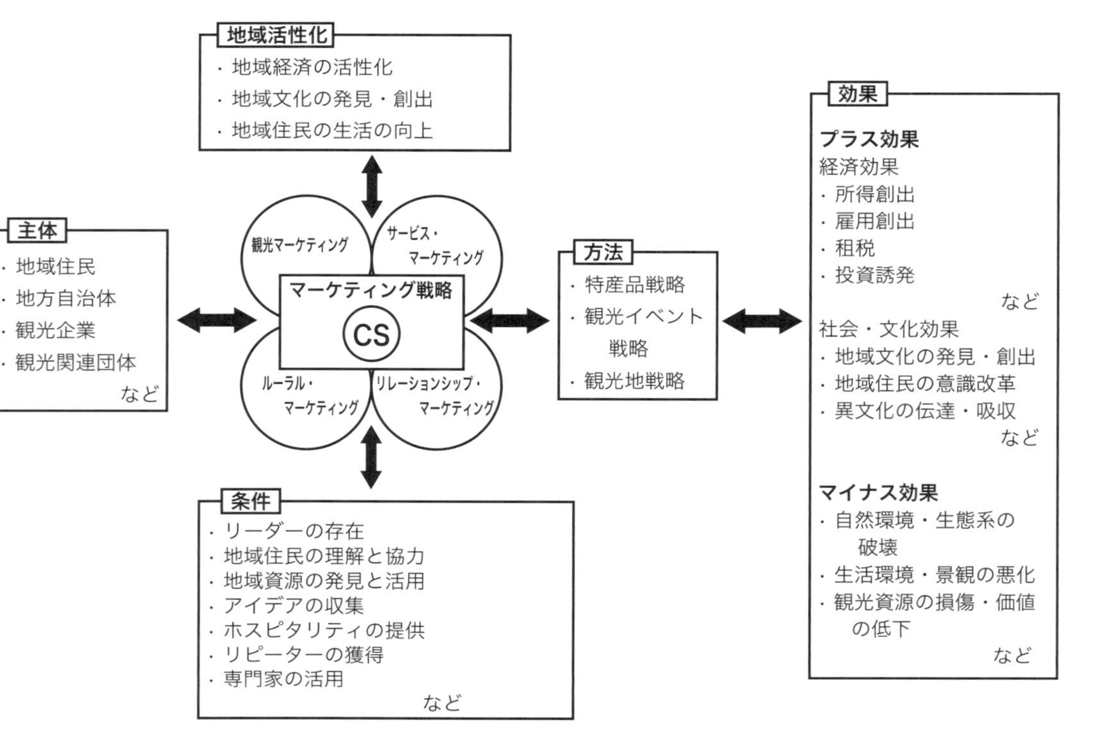

（出所）著者作成。

第2節　マーケティング戦略について

現代マーケティングの考え方の基礎になっているのは，マーケティング戦略の構成と論理である。マーケティング戦略の考え方は，地域活性化に欠かせないものである。

1．マーケティング戦略の構成

マーケティング戦略とは，マーケティング目標を達成する為に，ターゲット（標的）市場を明確にし，適切なマーケティング・ミックスを構築することである。それを九州観光に適応させると，ねらいとする観光客に九州にきてもらう仕掛けづくりを考えることである。当然のことながら，主体・立場によって，マーケティング戦略の内容は異なる。まずは，一般的なマーケティング戦略の構成についてみてみることにしよう。

それは，図１－２のように，①環境の分析，②ターゲット市場の決定，③マーケティング・ミックスの構築の３つによって構成される。マーケティング戦略

図１－２　マーケティング戦略の構成

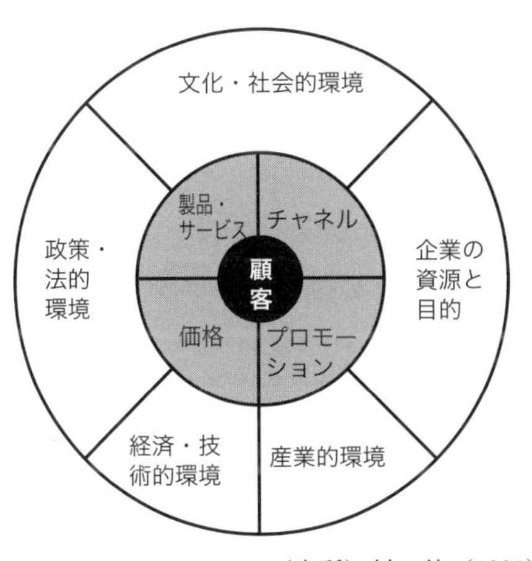

（出所）村田他（1981）。

の立案については，環境の分析を行い，ターゲット市場を決定して，マーケティング・ミックスを構築していく流れであるが，この作業は試行錯誤も出てくる。

①環境の分析（図1－2の外円のこと）

環境の分析とは，企業を取り巻く環境を文化・社会的環境，政治的・法的環境，経済的環境，産業的環境の外部環境と内部環境としての自社経営資源に大きく5区分される。これらのそれぞれに，環境の現状や動向を示し，自社の強み（Strengths）・弱み（Weaknesses）・機会（Opportunities）・脅威（Threats）の「SWOT（スワット）」分析を行う。つまり，自社を取り巻く環境がどのような現状・動向であるのかを知らなければならない。戦略立案には，自社の置かれている状況をおさえておくことが求められるのである。

②ターゲット市場の決定（図1－2の中心円のこと）

ターゲット市場を選択するために，人口統計学的変数，地理的変数，パーソナリティ変数，心理的変数などの基準（図1－3）で，市場を区分することを「市場セグメンテーション」という。そして，自社を基準軸で構成されるマトリックスに新市場の空間の発見や，他社比較によるポジショニング（位置付け）を行うことによって，ターゲット市場を選定していく。ターゲットとは，ねらいとする顧客のことである。市場とは，ねらいとする顧客の集団であり，市場規模がある程度なければならない。ターゲット市場が変更することによって，環境分析や次のマーケティング・ミックスも当然，変更することになる。

③マーケティング・ミックスの構築（図1－2の内円のこと）

マーケティング・ミックスとは，マーケティング手段の組み合わせのことであり，研究者によって幅があるものの，現在「4P」に集約されている。つまり，Product（製品・商品戦略），Price（価格戦略），Promotion（プロモーション戦略），Place（チャネル戦略）の4つのことである。どのような製品・商品（サービスを含む）を作り，どのような価格をつけ，どのような情報伝達をし，どのような経路を使って販売すれば，標的顧客が買ってくれるかを考えることである。最近では，「4P」より「4C」への変化もみられている。「4C」とは，Customer Value（顧客にとっての価値），Cost to the Customer（顧客の負担），

図1－3　マーケティング戦略の理論体系

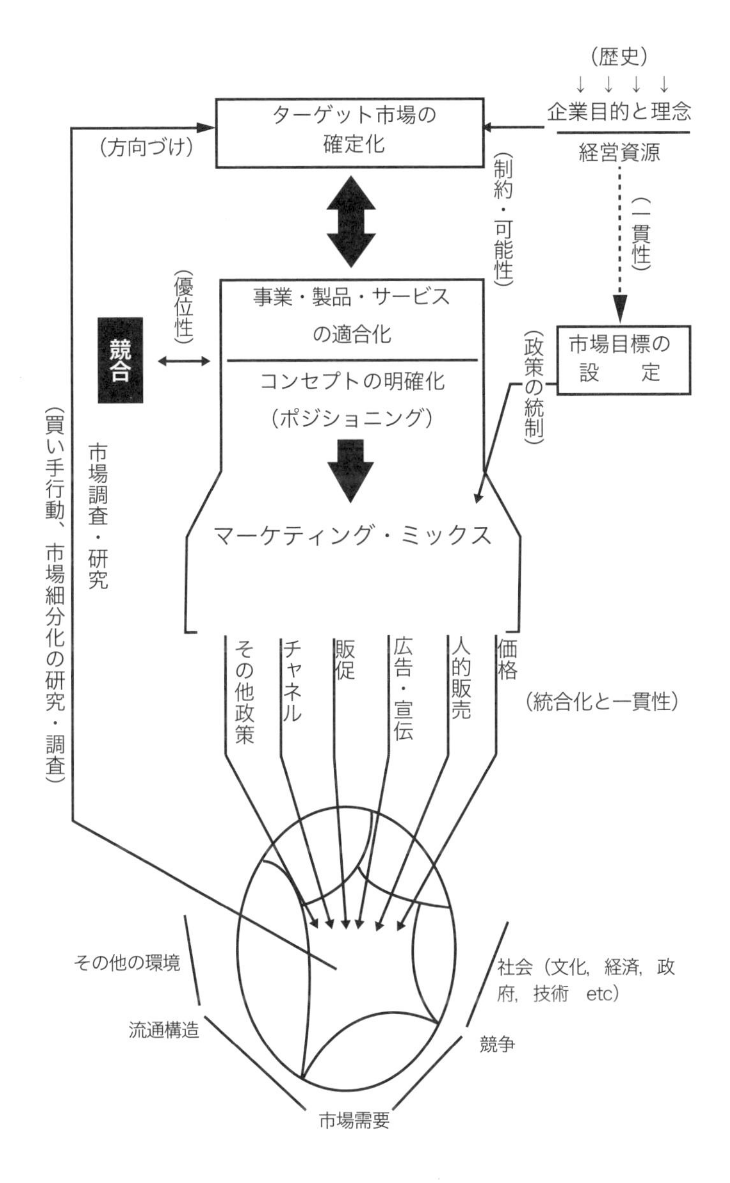

（出所）嶋口（1984）筆者一部修正。

Communication（コミュニケーション），Convenience（入手の容易性）である。「４Ｐ」が企業側からの視点であるのに対して，「４Ｃ」は顧客側からの視点でマーケティング・ミックスを考えることになる。

●Product（製品・商品戦略）について

マーケティング・ミックスの中でも中核をなす製品・商品戦略は，どのような製品・商品（サービスを含む）をつくれば顧客ニーズを満たすことになるのかを考える領域である。ここで，重要なことは売れる商品・サービスを考えることであり，そのためには，商品コンセプト創りに力をいれなければならない。また，ブランドの構築・運用に関することも，この領域である。

●Price（価格戦略）について

これは，価格の設定方法とその管理運用について考える領域である。例えば，価格設定に影響を与える要因は，内部的には企業目標，製品差別化，マーケティング・ミックスなどであり，外部的には，供給業者，政府，経済状況などが考えられる。実際には，以下３つの観点を考慮しながら価格設定が行われている。

①コスト志向 ── 製造原価に一定の利幅を加えたものを販売価格とする

②需要志向 ── 顧客が思っている価格に対応する

③競争志向 ── 競争業者が同種製品に付けている価格に対応する

●Promotion（プロモーション戦略）について

狭義の販売促進だけを意味するのではなく，顧客とのコミュニケーションや情報伝達活動のことであり，プロモーション・ミックス（広告，販売促進，人的販売，パブリシティ等）を用いて，顧客にいかに効率的にメッセージ内容等を到達させるかを考える領域である。

●顧客の購買決定プロセス－AIDMAモデル－とプロモーション・ミックスの関係

顧客に製品を購入してもらうには，顧客の購買決定プロセスに応じてプロモーション・ミックスを行う必要がある。顧客の購買決定プロセスを示した有名なモデルが，アイドマ（AIDMA）モデルである。これは，Attention（注意）→ Interest（関心）→ Desire（欲求）→ Memory（記憶）→ Action（行為）というプロセスを辿るというもので，顧客の注目を引き，製品に関心をもってもらい，買いたいという欲求を起こし，記憶させ，最終的に購買してもらうというものである。地域活性化では，イメージ戦略において重要な役割を果たすことになる。

●Place（チャネル戦略）について

製品・商品が顧客に届くようにするのには，どのようなルートが望ましいのかを考える領域である。この領域では，流通チャネルの構築と運用管理が重要である。なお，Place は日本語で場所を意味しているが，マーケティングでは販売経路，流通ルート，流通チャネルとして捉えている。観光では，主体によってチャネル戦略の位置付けが異なるが，旅行代理店では，店頭窓口でのサービス，コンビニエンスの利用，自宅からのインターネット予約など多様化してきている。

例）今，仮にあなたが博多駅近くでビジネス・ホテルを経営しているとしよう。漠然と東京方面から宿泊客にきてもらいたいと考えているとすると，どんなことを考えなければならないのか？

まず，はじめに泊まっていただきたいお客様，ターゲット顧客を考えなければならない。とともに，ビジネス・ホテル業界を取り巻く環境を知っていなければならない。それらを考慮した上で，マーケティング・ミックスを考えることになる。これがマーケティング戦略立案の一応の流れである。以下は，想定のマーケティング戦略である。

ターゲット顧客：若手ビジネスマンが中心

環境分析：

１）経済的環境：ビジネスマンの出張使用可能経費，日本の経済状況，ライバル店の数の動向他

２）法的環境：ホテル税の動向他

３）技術的環境：インターネットの普及他

４）社会的環境：東京―福岡間は日帰り可能な距離他

マーケティング・ミックス：

商品戦略：満足感の演出（部屋の広さ，清潔感，照明などの設備面の充実，フロントの応対の良さ）

価格戦略：低価格で泊まれる

プロモーション戦略：ポイント・カードによる囲い込み，東京方面でビジネスマンがよく読む雑誌，新聞などへの広告など

チャネル戦略：ホテルまでのアクセスの良さ，インターネット予約

といった具合である。

まず，ターゲット顧客を若手ビジネスマンに絞った理由が求められることになる。統計データやアンケート調査によってビジネスマンの年代別の出張動向を調べる必要がある。また，マーケット規模がどのくらいあるのか，その内，どれくらい自社にきてもらえそうかなどの調査も求められる。更に，近隣の競合ホテルの状況もおさえておく必要がある。

環境分析をもっと深めることによって，ビジネスのチャンスがみえてくるとともに，ビジネスの展開上の脅威もみえてくることになる。そして，マーケティング・ミックスの構築はアート的センスも求められる。これも，考えている主体・立場によって，マーケティング戦略は異なってくることになる。

2．九州地域におけるマーケティング戦略の実際

ここでは地域におけるマーケティング戦略を展開している実際の一部を紹介する。紹介仕切れないほどの事例があることは言うまでもない。

九州全体では，九州観光推進機構のホームページで，九州各県の魅力を紹介していることは，マーケティング・ミックスにおけるプロモーション活動を展開していることに該当する。また，福岡県のどんたく祭り，佐賀県のひな祭り，長崎県のさるくはく，宮崎県のスポーツ・キャンプなどは，主体が異なるが，マーケティング戦略からみると，地域の活性化のために県の内外からの観光客をはじめとする集客を行い，それぞれの県レベルでのプロモーション活動であり，イベントそのものはプロダクツに該当することになる。また，宮崎県の東

国原県知事（当時）は宮崎のセールスマンと本人がいわれていたように，セールス活動もプロモーション活動の１つにあたる。

また，鹿児島県をはじめとする地域の焼酎は，マーケティング戦略におけるプロダクツにあたる。焼酎だけではなく，地産地消といわれる特産品も当然，プロダクツに該当する。

次に，大分県にある湯布院温泉に代表されるように，地域そのもの，場所そのものもマーケティング戦略の対象であり，集客を行い，宿泊，飲食，土産，交通費などの経済波及効果が期待できる。これは，マーケティング・ミックスのプレイスに該当し，地域での活性化をはかることを基本的に考えることになる。地域間のつながりや連携によって，観光ルートや観光客の滞在時間を延ばすことは消費の拡大につながることになる。

いずれも訪れた観光客に対して顧客満足を提供することでリピーターにつながるように工夫されていることが大切である。

３．マーケティング戦略の論理

戦略プロセスの観点からは，図１－３のようになる。つまり，ターゲット市場を明確にする為に，表１－１のようなセグメンテーション基準によって市場

表１－１　セグメンテーション基準の例

人口属性基準	年齢，性別，収入，家族人数，教育程度，職業，人種，宗教等
地理基準	国，地方，地域（行政区画），人口密度，気候等
心理基準	性格，ライフスタイル等
行動基準	購買量，購買頻度，広告への反応度，価格変化への反応度，ブランド・ロイヤルティ，ストア・ロイヤルティ，メーカー・ロイヤルティ等

（出所）野口（1998）。

セグメントを行い，マーケティング目標設定との関係，自社経営資源にマッチしているか，競合他社との差別優位性があるか，などを検討し，最適マーケティング・ミックスの選定を行うことになる。そして，損益分岐点分析などの収益性の検討を加味した上で，ターゲット市場の確定からマーケティング・ミックスの選定までをループしながら，自社に適切なマーケティング戦略を策定していくことになる。

マーケティング戦略の構成が平面的なものに対し，戦略プロセスは立体的・空間的なものであるといえる。

4．マーケティング戦略の立案上のポイント

ここでは，環境分析と市場分析を取り上げる。

(1) 環境分析（SWOT）

自社（ここでは，個人，企業，観光地なども含まれる）の置かれている環境を見つめ直し，再度，立場を認識するために，SWOT（スワット）分析を実施する。はじめに，SWOT分析は，自社の強み，弱みと自社の内部，外部の視点で考えることになる。次のSWOT分析は，佐賀県呼子町を対象とした簡単な例である。

ポイントは，きれいに分類することよりも，マーケティング戦略に影響する重要な要因を見落とさないことが肝心である。

表１－２　SWOT 分析のための事例

	強　み	弱　み
内部	＊日本三大朝市をもっている ＊呼子はイカで有名である	＊朝市の後継者が減少 ＊町としての魅力ある特産品が少ない ＊午後は閑散としている
外部	＊観光客が年間約110万人	＊都市の福岡からのアクセスが弱い ＊町として魅力が少ない

次に，SWOT 分析による戦略を考えることになる。強み，弱みと機会と脅威の観点から，自社を取り囲む環境を整理し，立ち向かうことを考えることで

ある。

ポイントは，4つのセルに対応した内容を考えることにある。

表1－3　SWOT 分析による戦略の例

	機　　会	脅　　威
強み	＊自社の強みを使って，優位に進められる事業は何か？	＊自社の強みで脅威に打ち勝つ方法はないか？
	＊朝市の観光客に新鮮なイカを提供する。	＊イカを中心としたPR展開を実施する。
弱み	＊自社の弱みを改善して，機会を取り込むことはできないか？	＊最悪の事態を回避する方法は何か？
	＊夕市（夕方の市場）を開催する。	＊テナントの誘致

機会 × 強み＝自社の強みを使って，優位に進められる事業は何か？

機会 × 弱み＝自社の弱みを改善して，機会を取り込むことはできないか？

脅威 × 強み＝自社の強みで脅威に打ち勝つ方法はないか？

脅威 × 弱み＝最悪の事態を回避する方法は何か？

以上の組み合わせから，自社の取るべき戦略を考慮することになる。

(2) 市場分析（セグメンテーション，ターゲット，ポジショニング）

ここでのポイントは，S（セグメンテーション）→T（ターゲット）→P（ポジショニング）の流れの一貫性にある。市場のセグメンテーションは，前述のセグメンテーション基準によって実施される。どのセグメンテーション基準を選ぶかは，戦略性や優位性を考慮することは重要である。次に，ターゲットでは，十分な市場の規模，成長性，参入の容易性，競争状況や条件などを考慮することになる。そして，ポジショニングでは，自社の優位性が，どこにあるのかを明確にすることにある。

5．マーケティング戦略と4つのタイプのマーケティング・スタイルとの関係

マーケティングは現在進行形で，その分野を拡大し深化し続けてきている。

世界に視野を拡げた国際マーケティングあるいはグローバル・マーケティングの分野であり，またはサービス経済に関わるサービス・マーケティングの分野である。更に，データベース，one-to-one の修辞語でも示される分野のリレーションシップ（Relationship）・マーケティングである。これは，顧客の満足を高め，深い信頼に基づく顧客との長期継続的な関係を築こうというもので，関係性マーケティングといわれる。マネジリアル・マーケティングが顧客の創造・獲得に重点があったのに対して，リレーションシップ・マーケティングは顧客の維持・発展に重点があり，相互補完し合う位置付けにあるといえよう。更に，地域の活性化の視点から，観光マーケティング，サービス・マーケティング，リレーションシップ・マーケティングやルーラル（Rural）・マーケティングとのかかわりがあり，以下では，4 つのマーケティングの概要について述べる。しかし，この 4 つのマーケティング・スタイルもマネジリアル・マーケティングの考え方が根本にあり，その派生であることを理解してもらいたい。

(1) 観光マーケティングの定義

●マウチンホ（Moutinho，1989）

「観光マーケティングとは，観光組織が観光客の最適な満足の達成と組織目標の最大化のために，観光商品をつくり，適合させるように，局地的・地域的・国家的ならびに国際的なレベルで観光客のニーズ・欲望および動機を確かめ，それに影響を与える，顕在的・潜在的な観光客を選定し，観光客に伝達するマネジメント・プロセスである。」（Witt & Moutinho eds. 1989, p.259）

上記の定義について少し解説を加える。

ここで，「観光組織」とは，単に旅行業だけを意味しているのではなく，宿泊業，鉄道，航空会社やバス会社などの輸送セクター，劇場，博物館，レジャー施設などのエンターテイメント業，飲食業，国立公園や歴史のある観光資源を有する地方自治体，観光メディアなど観光に伴うすべての組織のことである。まさに範囲が広く，主体の立場で観光マーケティングの定義を捉える必要がある。

また，「観光客」については，休暇などの楽しみ目的，会議や使節などのビジネス目的，勉強，輸送，健康などの旅行者の動機など，様々な訪問の目的によって満足が異なると考えられる。ここで重要なことは，観光客は目的地やその移動時間中を含めて満足感がなければその目的地を訪問しないことになる。観光産業ではリピーター（繰り返して訪問してくれるお客のこと）といわれるもので，それを維持していかなければならない。

次に「観光商品」とは，単に特産品や土産品だけをさしているのではない。目にみえるものだけではない。提供するサービスも当然，含まれる。これも，観光組織と同様，主体が異なると観光商品の意味合いが違ってくることになる。例えば，宿泊業の温泉旅館では，やすらぎを提供するために，温泉の質，風景はもちろんのこと，食事をはじめとする観光客と接する一瞬一瞬のおもてなしすべてが対象となる。

そして，「局地的・地域的・国家的ならびに国際的なレベル」が意味していることは，単にワールドワイドの視点で観光地を広げることをだけでなく，インバウンドとアウトバウンドの両面からも考慮しなければならない。

最後の箇所である「観光客のニーズ・欲望および動機を確かめ，それに影響を与える，顕在的・潜在的な観光客を選定し，観光客に伝達するマネジメント・プロセスである。」は，マーケティング・マネジメントそのものである。観光客のニーズをつかむために，マーケティング・リサーチを行うことであり，観光客を選定することは，無数の観光客の中から，有効な観光客ターゲットを絞り込むことであり，そこに観光情報を提供していくことを意味している。

(2) サービス・マーケティング

サービス業のマーケティングを考えるには，まず，サービスを定義した上で，サービスの4つの特性に注目しなければならない。

- サービスとは，個人又は組織が他の個人又は組織に対して与える，本質的に目に見えない活動もしくはベネフィットであり，結果としての所有権を伴わないものである。サービスの生産は必ずしも具体的な形ある製品には結び付かない（コトラー&アームストロング 2003)。
- サービスとは，販売のために提供される，もしくは，財の販売と結び付い

て提供される諸活動，便益，満足である。（アメリカ・マーケティング協会）

ラブロック（C. Lovelock）はサービス・マーケティングの中で，サービスの受け手とサービス行為の本質によるサービスの分類を行っている。

区分別にみると，①人の身体に向けられるサービスとして，理髪，レストラン，交通機関など，②財や他の有形資産に向けられるサービスの例は修理サービス，荷物の輸送，造園手入れなど，③人の精神に向けられるサービスは教育，放送，美術館などであり，④無形資産に向けられるサービスの例は銀行，会計処理，保険などといった具合である。

次に，4つのサービスの特性を捉えることによって，マーケティング戦略へとつながることになる。これは，マーケティング・ミックスの中の Product（製品・商品・サービス）に該当するものと捉えると理解しやすい。

a）無形財あるいは用役であり，われわれの目にみえないものであり，購買の前に味わったり，触ったり，匂いをかいだりできないこと（非有形性）。

b）サービスはそれを提供する人々と不可分であり，サービスを作り出す場合にそれが人であろうと機械であろうと，必ず提供の場にいなければならない，という，生産と消費が同時に行われること（不可分性又は同時性）。

c）サービスは誰が提供するか，いつ提供されるかによっても大きく変わること（変動性）。

d）サービスは在庫することがで

表1－4　サービス・マーケティング・ミックス

Product （サービス商品）	■サービス品質 ■サブ・サービス ■パッケージ ■プロダクト・ライン ■ブランディング
Place （場所）	■立地 ■チャネル・タイプ ■事業・販売拠点 ■交通 ■チャネル管理
Promotion （販売促進）	■プロモーション・ブレンド ■販売員 ■広告 ■セールス・プロモーション ■パブリシティ
Price （価格）	■価格水準 ■期間 ■差別化 ■割引 ■価格幅
People （人材）	■従業員 雇用・訓練・動機付け・報酬 ■顧客 教育・訓練 ■企業文化・価値観 ■従業員調査
Physical evidence （物的環境）	■施設デザイン 美的・機能・快適性 ■備品・工具 ■サイン ■従業員の服装 ■他の有形物 レポート・カード・パンフ
Process （提供過程）	■活動のフロー 標準化・個客化 ■手順の数 単純・複雑 ■顧客参加の程度

（出所）近藤（1999）より。

きないこと（消滅性）。

サービス・マーケティングでは，マーケティング・ミックスを「7P」と捉えている。つまり，Product（サービス商品），Place（場所），Promotion（販売促進），Price（価格），People（人材），Physical-evidence（物的環境），Process（提供過程）の7つである（表1－4を参照のこと）。サービス・マーケティングでは，一般的なマーケティングのミックスの4Pより，People（人材），Physical-evidence（物的環境），Process（提供過程）が付け加えられている。

マーケティング戦略の視点からは，「4P」より「7P」でマーケティング・ミックスを捉えてもよい。この場合，People（人材）は，従業員育成であり，従業員のやる気を引き出すようなことを考えることになる。Physical evidence（物的環境）は，建物の外観や内装だけでなく，従業員の服装なども含まれることになる。Process（提供過程）は，サービス活動のフロー（流れ）を示すだけでなく，サービス提供のプロセスそのものを見直すことになる。これらの7Pはそれぞれバラバラにあるのではなく，全体として統一されていなければならない。更に最近では，サービスを人と物財に分けて考えるのではなく，サービスを受ける消費者からすると，物を含めたサービスの提供を受けることに価値があることからサービス・ドミナント・ロジック（Service Dominant Logic）が台頭してきている。

サービス・プロフィット・チェーン

図1－4に示しているように，サービス・プロフィット・チェーンという考え方がある。これは，サービス業における利益を生み出す仕組みを示している。図の左側は会社内部で，従業員が仕事に対するロイヤルティ（忠誠）をもつと，生産性が向上し，提供するサービス価値が高まり，顧客満足も高まる。そして，顧客が商品やサービスにロイヤルティが高まると売上や利益に貢献し，それが給与や賞与の形になって従業員に還元される仕組みが示されている。このいい循環を経営者は創り上げることを考えることであり，これは，満足による流れが作り出すものといえる。

図1－4　サービス・プロフィット・チェーン

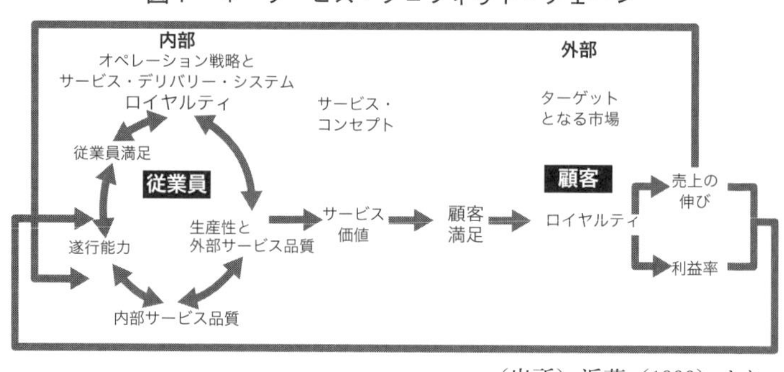

（出所）近藤（1999）より。

(3) リレーションシップ（Relationship）・マーケティング

企業は顧客だけでなく，様々なステークホルダー（利害関係者）との関連をもっている。企業が長期的に存続，維持発展するために良好な関係を維持していこうという考え方がリレーションシップ・マーケティングであり，関係性マーケティングとよばれている。

関係性マーケティングには2つの側面があり，1つは，顧客，取引先，株主，政府機関，報道機関，銀行，地域住民などの外部組織との関係であり，2つは，企業内部の従業員との関係との良好な関係である。

リレーションシップ・マーケティングの背景には，顧客の生涯価値（ライフ・タイム・バリュー）という考え方がある。企業からみて，ある特定の顧客が一生涯を通じてその企業の製品やサービスを購入する総額のことである。そのためには，顧客を知り，顧客に適した対応をコントロールしていく必要があり，これを効率的に行う仕組みがCRM（Customer Relationship Management）と呼ばれ，コンピューターを利用して構築される。

まさにマーケティング戦略との関係は，ホスピタリティ・もてなしにも通じるところであり，一度きりのお客様でなく，生涯を通じた関係を観光産業とお客様がもつところに重要な捉え方がある。

(4) ルーラル（Rural）・マーケティング

ルーラル・マーケティングとは，マーケティング戦略論を基盤にして，農山漁村型地域産業の振興という特有の領域を対象としたマーケティングのことである。ルーラル・マーケティングの究極の目的は定住・就労意欲の向上に貢献するような農山漁村型地域産業を確実に振興させることである。これは地域の活性化につながるものである。図1－5に農山漁村型地域産業の振興のためのマーケティング戦略の体系を示している。図からみてとれるように根本は従来のマーケティング戦略の考え方と変わることはない。マーケティング概念の拡張ともいえ，地域のマーケティングであるともいえる。これも，観光マーケティングには欠かせないものである。

図1－5　農山漁村型地域産業振興のためのマーケティング戦略の体系
（ルーラル・マーケティング論の体系）

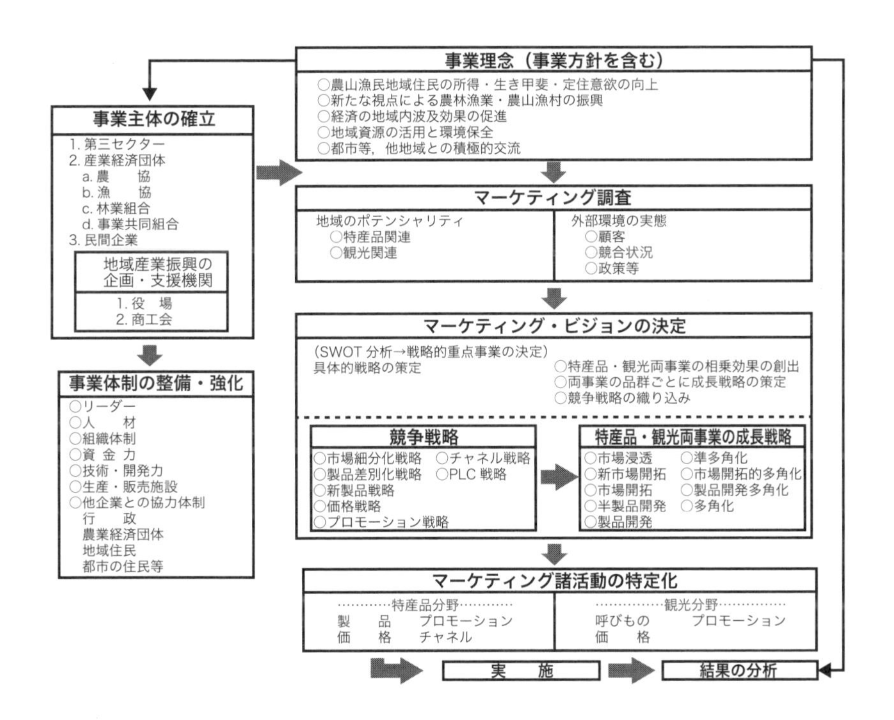

（出所）山本（1999），筆者一部修正。

第3節　顧客満足について

1．顧客満足の定義

ここで，顧客満足の定義についての検討を行う。顧客満足の諸定義は論者によって様々論じられている。しかし，顧客満足の統一されている定義はない。フィリップ・コトラー（Philip Kotler）は，マーケティング・マネジメントの中で，満足とは，ある製品における知覚された成果（あるいは結果）と購買者の期待との比較から生じる喜び，または失望の気持ちである。とした上で，満足度は，知覚された成果と期待との相関関係で決まる。成果が期待を下回れば，顧客は不満を覚える。成果が期待通りであれば，顧客は満足する（コトラー2002，p.28）。

リチャード・オリバー（Richard Oliver）は，満足は顧客の達成感のことである。それは，製品やサービスの特徴やそれ自身が，消費に関連した達成感の喜びのレベルのことである（Oliver1997 pp.11-14）。言語学者によると，Satisfactionはラテン語の Satis と facere に区分され，前者は enough の意味で，後者は to do or make の意味である。関連した用語に Satiation と Satiety がある。十二分に満足することを意味し，後者は飽満なことを意味している。

また，最初に TQC（Total Quality Control）の名をとなえたアーマンド・フィーゲンバウム（Armand Feigenbaum）は，その定義の中に消費者満足を提示していた[1)]。TQC は，消費者の完全な満足を得るに足る最も経済的な水準で生産およびサービスを可能ならしめるよう，品質の開発，品質の維持および品質の改善に対する企業内各種グループの努力を統合化するための効果的なシステムである。生産管理の現場の視点から消費者満足を考慮していたことは意義深いことである。現在は TQC から TQM（Total Quality Management）へと発展してきていることはご存知のとおりである。

日本能率協会では，CS（Customer Satisfaction）経営におけるお客様の満足度とは，その企業から購入した製品やサービスに対して満足し，その満足感によって，これからも購入，利用を期待できるか否かの程度を表すとし，満足度というのは製品やサービスを買う時におけるお客様の事前期待と実績評価の関係のこととしている。

したがって，満足度においては，顧客が目にみえる，又は実感できるものを対象にしたものでなければならないと思われる。その意味では，満足度というのは製品やサービスを買う時におけるお客様の事前期待と実績評価の関係のことを意味している。

２．事業運営における顧客満足

まず，事業の基本命題は永続性（ゴーイング・コンサーンと呼ばれる）であり，一度限りのビジネスは事業を行っているとはいわない。会社の寿命は 30 年といわれた時期があったが，創業者だけでなくその後継者も事業を続けていくことが問われる。

その事業を継続していくためには，顧客の創造と維持が事業目的となっている。顧客の創造とは，一度，お客様が購入又はサービスを利用してくれることであり，維持とはリピートしていただけることである。売上高は価格と数量の掛け算で計算されるが，その際の数量が１度限りではその事業は当然のことながら成り立たない。そこで，顧客の維持が必要になってくる。また，それによって，事業が継続されていくことになる。

次に，顧客の創造と維持を追究するためには，その事業理念として顧客満足がある。購入又はサービスを利用してくれたお客様が顧客満足していれば，リピーターとなるし，顧客不満足であれば，２度と来てくれないことになる。顧客満足は事業運営におけるエンジンともいえるものである。

そして，顧客満足を達成するために事業機能としてマーケティングとイノベーションがある。その意味では，マーケティングは事業の成長促進の役割を果たしていることになる。更に，組織体として，利益を追求するために，人，物，カネ，情報などの経営資源機能があることになる。これらの経営資源をうまく活用しなければならない。

事業運営の基本構造は地域活性化ビジネスのいずれにも該当するものである（図１－６）。

図１－６　事業運営の基本構造

基本命題　永続性
（事業は継続していくもの）
↓
事業目的　顧客の創造と維持
（新規のお客様と固定客）
↓
事業理念　顧客満足
（地域ビジネスのエンジンに該当）
↓
事業機能
マーケティング　イノベーション
↓
経営資源機能
・人材開発（ヒト）
・生産・ロジステック（モノ）
・財務（カネ）
・研究開発（技術）
・情報（情報）
・その他

（出所）嶋口（1997）。

３．顧客満足と収益について

事業運営の基本構造において，顧客満足は事業理念として位置付けられ，顧客の創造と維持は事業目的として重要であると嶋口充輝は提唱している。米国の調査では，新しい顧客を獲得するには現在の顧客にサービスする５倍の経費がかかる，また，満足できない顧客の91％は不満足にした会社の製品を２度と買わず，少なくとも他の９人にその不満をもたらすという結果報告がなされている。従来，ドラッカーは顧客の創造こそが事業の目的であると指摘したが，事業の永続性を考慮すると，顧客の創造だけでなく，顧客の維持も必要なのである。

「顧客維持率を高めれば，企業収益は高まる」ということを主張した代表的研究者のライクヘルド（Reichheld）とサッサール（Sasser）は「サービス業のZD 運動」の中で，製造業ではゼロ・デイフェクト（欠陥ゼロ）運動という品質向上運動が行われていたのに対して，サービス業ではゼロ・デイフェクション（顧客離脱ゼロ）を目指すべきであると主張した。顧客との関係が長期化すればするほど企業収益に貢献する理由としては，①開拓コストが不要になる，②営業コストが低減する，③顧客１人当りの購買額が増加する，④顧客が高価格を許容する，⑤他の顧客に紹介する，という５点が上げられている。ヘスケット（Heskett），サッサール（Sasser），シュレシンジャー（Schlesinger）は，顧客ロイヤルティを生み出すためのフレームワークとして，Retention（顧客維持），Related Sales（関連販売），Referrals（紹介・クチコミ）の「３R」を提示し，顧客維持の重要性を強調している。

また，クランシー（Clancy）とシュルマン（Shulman）は顧客満足と収益性の関係について，製品やサービスにおいての顧客満足はある点までは利益の増加をもたらすが，その点を超えると利益が減少に転じるとしている（図１－７）。

図１－７　顧客満足度とマーケットプログラムの収益性との関係

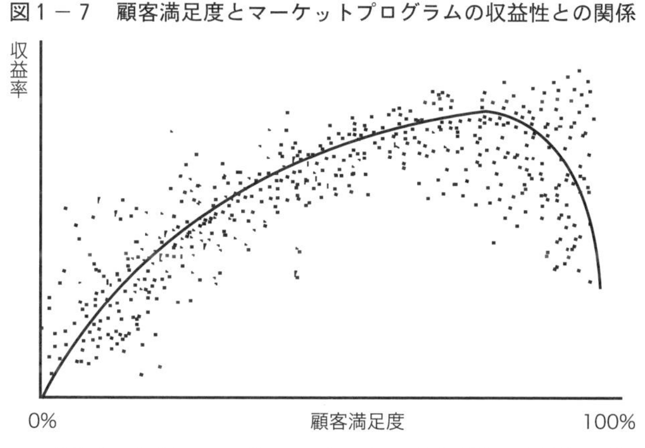

（出所）クランシー ＆ シュルマン，鳥井監訳（1995）より。

これは，顧客ニーズの要望度合いが高いとペイしなくなることを意味している。しかし，事業目的である顧客の創造と維持は重要であり，顧客満足の存在を忘れてはならないということである。

4．顧客の進化

顧客は進化していく。顧客満足も一定ではない。関係性マーケティング研究者のペイン（Payne）は図１－８にみられるように，顧客の進化の状態を見込み客から信者に至るまで８階のはしごのように指摘している（石原・吉兼・安福編2001，pp. 21-22）。観光客も同じであると考えてよい。どの観光ビジネスも初めは，「見込み客」（Prospect）や「新規顧客」（First-time Customer）の獲得に重点をおいた展開をすることになる。新規顧客を獲得すれば，その顧客を

図１－８　顧客の進化

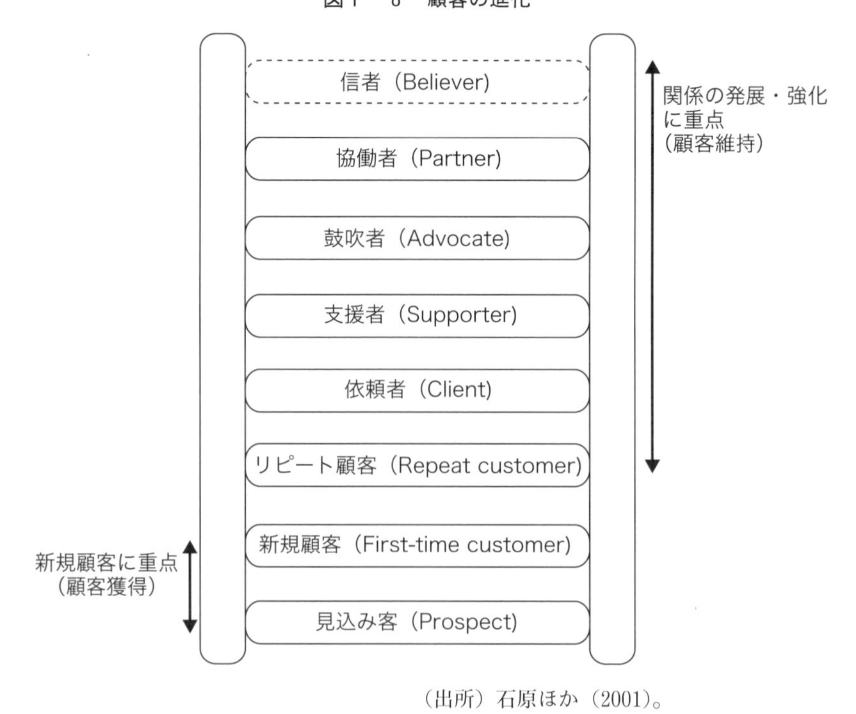

（出所）石原ほか（2001）。

「リピート顧客」(Repeat Customer) にしようとする。リピート顧客の上には「クライアント」(Client) があり，広告業界では「得意先」のことを意味している。顧客の方から企業に注文してくれる「お得意さん」である。クライアントの上には「サポーター」(Supporter) がいる。サポーターはサッカーでおなじみであるが，「支援者」ということで，企業が困ったときに助けてくれるありがたい顧客である。サポーターの上には「アドボケイト」(Advocate) がいる。これは，「鼓吹者」で，商品・サービスの良さを他人に吹聴，宣伝してくれる顧客である。アドボケイトの上には，「パートナー」(Partner) がいる。これは，「仲間」，「協力者」であり，信頼の絆で結ばれており，商品・サービスの開発に当たっても積極的に参加してくれる。パートナーの上には，「ビリーバー」(Believer) がいる。これは「信者」であり，宗教的帰依の境地である。

観光客にも，顧客のはしごを上らせるように，観光ビジネスもマーケティングを展開しなければならない。観光客をゲット (Get) する一方で，キープ (Keep) していかなければならないのである。観光マーケティングの展開は新規顧客獲得と顧客維持活動の2つの方向を考慮することになる。このように顧客の進化は，結果であり，それを促進するのは顧客満足である。

注

1）筆者は論文「TQC とマーケティングの接点」日本財務管理学会編で記述しているが，Armand Feigenbaum, *TOTAL QUALITY CONTROL*, McGRAW-HILL, 1991を参考にしている。

参考文献

(1) 石原照敏・吉兼秀夫・安福恵美子編 (2001)『新しい観光と地域社会』古今書院。
(2) 片山富弘 (2005)『マネジリアル・マーケティングの考え方と実際（増補版）』五絃舎。
(3) 片山富弘 (2009)『顧客満足対応のマーケティング戦略』五絃舎。
(4) 近藤隆雄 (1999)『サービス・マーケティング』生産性出版。
(5) 佐藤知恭 (2000)『顧客ロイヤルティの経営』日本経済新聞社。
(6) 佐藤喜子光 (2002)『観光を支える旅行ビジネス』同友館。
(7) 佐藤喜子光 (2003)『めざせ！カリスマ観光士』同友館。
(8) 嶋口充輝 (1994)『顧客満足型マーケティングの構図』有斐閣。

(9) 嶋口充輝（1997）『柔らかいマーケティングの論理』ダイヤモンド社。
(10) 嶋口充輝（1984）『戦略的マーケティングの論理』誠文堂新光社。
(11) 総合観光学会編（2003）『観光の新たな潮流』同文舘出版。
(12) 田村馨（1999）『集客モードの時代のビジネス』中央経済社。
(13) 日本交通公社編（2004）『観光読本』東洋経済新報社。
(14) 野口智雄（1998）『ビジュアル マーケティングの基本』日本経済新聞社。
(15) 長谷政弘編（2000）『観光マーケティング』同文舘。
(16) 長谷政弘編（2003）『新しい観光振興～発想と戦略～』同文舘出版。
(17) 塹江隆（2001）『観光と観光産業の現状』文化書房博文社。
(18) 堀野正人・山上徹編（2003）『現代観光へのアプローチ』白桃書房。
(19) 前田勇編（2003）『21 世紀の観光学』学文社。
(20) 村田昭治他編（1993）『現代マーケティングの基礎理論』同文舘出版。
(21) 山上徹（2005）『観光マーケティング論』白桃書房。
(22) 山本久義（1999）『ルーラル・マーケティング論』同文舘出版。
(23) クランシー ＆ シュルマン著・鳥井道夫監訳（1995）『知的マーケティングの技法』TBSブリタニカ。
(24) フィリップ・コトラー著・村田昭治監修（1989）『マーケティング・マネジメント』プレジデント社。
(25) フィリップ・コトラー著・恩蔵直人監修・月谷真紀訳（2002）『コトラーのマーケティング・マネジメント』ピアソン・エデュケーション。
(26) コトラー＆アームストロング著・和田充夫監訳（2003）『マーケティング原理第 9 版』ダイヤモンド社。
(27) フレデリック・ライクヘルド著・伊藤良二監訳（1998）『顧客ロイヤルティのマネジメント』ダイヤモンド社。
(28) レス・ラムズドン著・奥本勝彦訳（2004）『観光のマーケティング』多賀出版。
(29) Oliver, R.（1997）, *Satisfaction*, McGRAW-HILL.
(30) Witt, S.F. & Moutinho L. eds.（1989）, *Tourism Marketing and Management Handbook*, Prentice Hall.

（片山富弘）

第2章　地域ブランドについて

地域ブランドは地域活性化のために欠かせないものである。また，地域ブランドには様々な定義が存在するが，顧客満足の基本が重要である。そして，筆者の考える地域ブランドの定義は，地域活性化のために，地域資源を顧客価値に転換することである。以上の観点に立ち，第1節地域ブランドの重要性，第2節ブランド研究の視点，第3節地域ブランドに関する主な先行研究，第4節壱岐焼酎における地域ブランド形成プロセス，第5節地域ブランドの諸側面，として本章を構成し，議論を展開した。

第1節　地域ブランドの重要性

地域活性化のためにマーケティングの必要性が叫ばれている。地方自治体においても，企業でのマーケティングの考え方や手法を活用している。その主なねらいは，地域活性化であり，結果としての税収増加や地域住民の所得向上である。地域の特産品を商品化し，国内の大規模市場に販売できれば，地域の雇用増加や新たな産業が生まれることになり，地域への観光客の集客につながるからである。地域活性化のためには，特産品戦略，観光地戦略，イベント戦略などがマーケティングの視点からとりあげられることになる。すなわち，観光マーケティングである。マーケティング・ミックスにおけるプロダクツに該当する特産品戦略，プロモーションに該当するイベント戦略，プレイスに該当する観光地戦略である。また，農山漁村地域の活性化のためのルーラル・マーケティングも，観光マーケティングの役割を担うものと考えられる。

第2節　ブランド研究の視点

ここでは，まず，ブランド（BRAND）の定義，機能，価値，効果について，また，ブランド・マネジメントの視点から地域ブランドを論じる。

1．ブランド概念の基礎

(1) AMA（アメリカマーケティング協会）の定義

①ある売り手もしくは売り手の集団の商品やサービスであることを示し，②競争者の商品やサービスから区別するために使用される，③名称，用語，記号，象徴，デザインもしくはこれらの結合である。

上記の定義は3区分され，①は所有や保証を示し，②は商品差別化を示し，③連想・想起させるものを示している。もっとわかりやすいのは，その分野・カテゴリーの中で，一番最初に頭の中に浮かんでくるものである。ブランドは，人の心の中にあり，とんがっているものである。辛子明太子といえば，あなたが頭に思い浮かぶのは，○○であったら，それがブランドである。なぜ，○○が思い浮かぶのであろうか，そうさせるのが，ブランディング（Branding）である。これは何も有形の商品だけでなく，無形のサービスや地域にも当てはまる重要なことである。

(2) ブランドの機能

ブランドの機能は，論者によって異なる。ブランドには大きく3つの機能がある。第1の機能はその商品やサービスは誰が生産又は販売しているのかという「出所表示機能」であり，第2の機能は，消費者の商品やサービスの品質に対する期待を保証する「品質保証機能」であり，第3の機能は，商品，サービスについての情報を伝達して，消費意欲を喚起する「情報伝達機能」である。この3つの機能を備えてはじめてブランドといえる[1)]。

また，ブランドは，ブランドは信頼の印である「保証機能」，第2に識別のための「差別化機能」，第3に名前やマークを示す「想起機能」である。AMA

の定義に沿った機能ともいえる。ブランドから想起機能を引き出すためには，広告をはじめとするマーケティング・コミュニケーションの諸活動や新製品・新サービスの開発やそれらの流通を通じて，ブランドを消費者の記憶と深く結びつけることが必要なのである（青木・恩蔵編 2004，pp.113-130）。

(3) ブランドの価値

顧客に価値を提供するブランドによってもたらされる便益，または製品そのものの品質や機能を超えた付加価値のことである。いくつかの見解があるが，和田充夫は「基本価値」，「便宜価値」，「感覚価値」，「観念価値」に4区分し，製品そのものの価値を基盤としながらも，それを超えた価値である「感覚価値」と「観念価値」が，ブランドの付加価値であるとしている。「基本価値」とは，製品がカテゴリーそのものとして存在するためにはなくてはならない価値のことであり，「便宜価値」とは，消費者が当該製品を便利に楽しく購入しうる価値である。また，「感覚価値」は，製品・サービスの購入や消費に当たって，消費者に楽しさを与える価値であり，消費者の五感に訴求する価値のことで，「観念価値」は，意味をもち，語りをもつ価値のことである（和田 2002，pp.19-25）。

(4) ブランドの効果

いくつかのブランド効果が考えられる。①商品やサービスを繰り返し購入するロイヤルティ効果，②価格が多少高くても購入する価格プレミアム効果，③そのブランドなら流通業者が取り扱いたいと考える流通業者の協力，④一度，ブランド力が出来上がると広告費用が比較的抑えられるプロモーションの容易化などである。基本的にはロイヤルユーザーの存在であり，その拡大によって，売上高が増加することにつながってくる。

(5) ブランドに関する2つの関連概念

○ブランド・ロイヤルティ（BRAND　LOYALTY）

ある1つの製品カテゴリー内の特定ブランドに対する消費者の忠誠心であり，消費者から特定ブランドへ向かった一方的な概念のことである（和田・日本マーケティング協会編 2005，p.197）。

○ブランド・エクイティ（BRAND　EQUITY）

ブランドが有する資産的価値のこと。ブランドが企業の重要な経営資源の1つであることを示唆するものである（和田・日本マーケティング協会編2005，p.192）。

2．ブランド・マネジメント

上記でブランドとは何かをみてきたが，ここでは，そのマネジメントにふれておく。

(1) 顧客満足からブランドへの進化

ブランドは，顧客満足からブランド・ロイヤルティを経て，ブランド・エクイティの確立に至るプロセスで確立されることになる。基礎になるのは，顧客満足である。ブランドが単なる名前やマークだけを意味すると考えることは，間違いであり，それは表示上のことであり，その裏側にあるものを理解しなければならない。顧客にとって提供される商品やサービスが，顧客満足によって顧客にとって価値あるものへと変化していく。顧客満足の蓄積がブランド・ロイヤルティを形成していくことになり，その結果，ブランド・エクイティとして無形資産が蓄積されていくことになるのである。その意味では，顧客満足を継続的に顧客に提供していくことが大切であり，またそうしていかなければならないのである。

(2) ブランドの本質と構築

ブランドの本質は消費者にとっての「信頼」につきる。食品でいえば，消費者の「安心」「安全」を意味する。前述の3つの機能は，それらに意味をもたせているにすぎないのである。また，ブランドの構築は生涯を要するものであり，終わりがないものといえるが，ブランドの破壊は一瞬である。有名企業が不祥事をはじめ，不正表示などで苦労している事例がいくつも存在する。このようなことが生じないためにも，統合マーケティング戦略が必要である。なぜであろうか？ブランド構築は，マーケティング部門だけが行うものではなく，企業全体で各部門がブランド構築に貢献しているという意識をもちながら行動することで，消費者の心の中にブランドが認識されるからである。その意味では，ブランドは広告によってのみ，構築されるものではなく，広報活動や幅広い企業活動全般によらなければならない。すなわち，ブランディングとは，マーケティングそのものでもあるといえよう。

(3) 地域ブランド・マネジメント

地域ブランドとは，①ある特定の地域で生産あるいは提供される商品やサービスであり，②他の地域で生産あるいは提供される商品やサービスと差別化し，③肯定的評価を受ける個性を確立している商品やサービスである（永野 2007）。具体的には，農水産品，伝統工芸品，伝統工芸品以外の加工物，サービスなどである。従来の特産品だけにとどまらず，観光地などのサービスも含まれる。商標法では「地域の名称＋商品または役務の名称」であり，ブランドの観点からは，識別，差別化，品質表示，出所表示機能を有していることが重要であり，マーケティング活動がそれを支えている。例えば，メロンは一般的に青皮・青肉だったが，赤肉の夕張メロンは，プロモーション展開や出荷基準や品質維持活動によって，全国に知られるようになっている。また，地域ブランドの要件において，その土地柄といった希少性と品質の優良性が欠かせない。地域ブランド・マネジメントにおいても，その地域ブランドの目標である地域エクイティの構築ならびに運営管理が求められることになる。その意味でも，その地域ブランドに対する顧客満足の追求の積み重ねの結果として生じる，地域ブランド・ロイヤルティを目指すことが求められる。その上で，地域ブランド・ロイヤルティの累積が地域ブランド・エクイティとなるのである。そのための運営主体や目的や対象が異なってくることが地域ブランドの混乱を招くような懸念があるが，まずは地域経済の積極的に主体性のある者が地域ブランドの構築に向けて進めるべきである。しかし，それは規模としても，身の丈に応じたものにすべきで知名度の向上につれて一度に商品展開を行うものではない。最近の企業にみられる不祥事は，売上目標のために，また，利益捻出のために，ムリをすることから，地域ブランドの崩壊がはじまることにつながっている。

第3節　地域ブランドに関する主な先行研究

ここで，地域ブランドに関する主な先行研究をとりあげる。

1）中小企業基盤整備機構（平成17年6月）の地域ブランドマニュアルにおける地域ブランドの定義は，経済産業省の地域ブランドの定義をもとに発展させていることがみられる[2)]。

そこで，最初に「地域ブランド」の定義を決めておく必要がある。図2－1は経済産業省による地域ブランドの概念図である。これによれば，「地域ブランド化とは，（I）地域発の商品・サービスのブランド化と，（II）地域イメージのブランド化を結び付け，好循環を生み出し，地域外の資金・人材を呼び込むという持続的な地域経済の活性化を図ること」とある。したがって，単に地域名を冠した商品だけが売れていてもダメであるし，その地域のイメージがよいだけでもいけない。この両方がうまく影響し合い，商品と地域の両方の評価が高くなっていく必要がある。地域ブランドが高まれば，その地域名を付けた商品の売れ行きに結び付く。そしてその地域の雇用を促進し，地域イメージがよくなり，観光などへの相乗効果が生まれ，地域を豊かにする。こうした好循環を生み出すことになる。

図2－1　地域ブランドの概念図

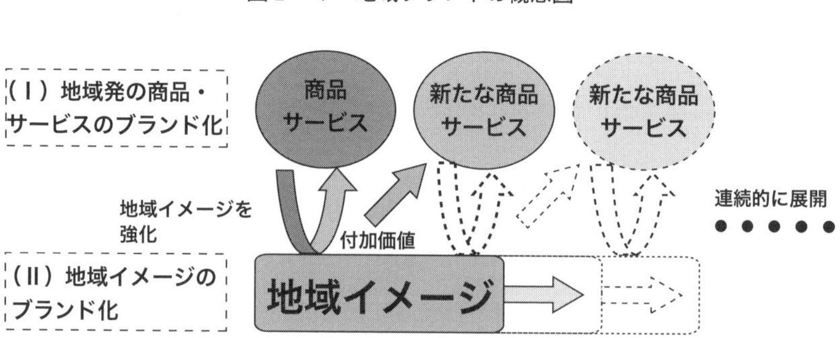

（経済産業省）

つまり，地域ブランドとは，地域の特長を生かした“商品ブランド”（PB＝Products Brand）と，その地域イメージを構成する地域そのもののブランド（RB＝Regional Brand）とがある。これらのどちらか一方でも地域ブランドとはならないし，両方が存在してもそれぞれがバラバラであったのでは「地域ブランド」とは呼べない。地域の魅力と，地域の商品とが互いに好影響をもたらしながら，よいイメージ，評判を形成している場合を「地域ブランド」と呼ぶことができる。そして，地域ブランドのマネジメントや地域ブランド・チェックシートを作成し，その判定方法を提示している。このことは，地域ブランドの現状を認識させ，望ましい方向に導くための手法であり，まさに地域における中小企業の活性化を意識したものであるといえよう。

2）富士通総研経済研究所の研究レポート（No.251 2006年1月）では，「地域ブランド関連施策の現状と課題～都道府県・政令指定都市の取り組み～」と題して，12自治体の事例研究を実施し，地域ブランド形成に向けた取り組みを整理した上で，その課題と解決方法を検討している。地域ブランド関連施策を対象，目的，地域イメージの違いの観点から4タイプに類型化している。地域ブランド関連施策を展開するためには，①施策の対象と目的のギャップ，②実施体制のギャップ，③イメージのギャップなどの解消が課題となることを示している（生田・湯川・濱崎 2006)。ここでの地域ブランドの概念は，屋根（地域）と柱（人材・定住，観光・交流，地産品販売拡大，投資促進・産業振興）から成るとし，地域自体をブランド化することにより，柱の部分の達成を目的としている。また，一般的ブランドとの大きな違いとして，一般的ブランドはブランド構築のために行動する実施者の範囲が限定的であるのに対して，地域ブランドでは，実施者が非常に広範囲であることをあげている。

3）青木（2004）によると，地域ブランド構築の基本図が一般企業のブランド構築と符合しており，特産品などの地域資源加工品ブランドや農水産物ブランド，観光地，商業地ブランドは製品ブランドに相当し，地域全体のブランドは企業ブランドに相当するとした上で，地域ブランド構築の基本構図を明らかにしている（図2－2）。

図2－2　地域ブランド構築の基本構図

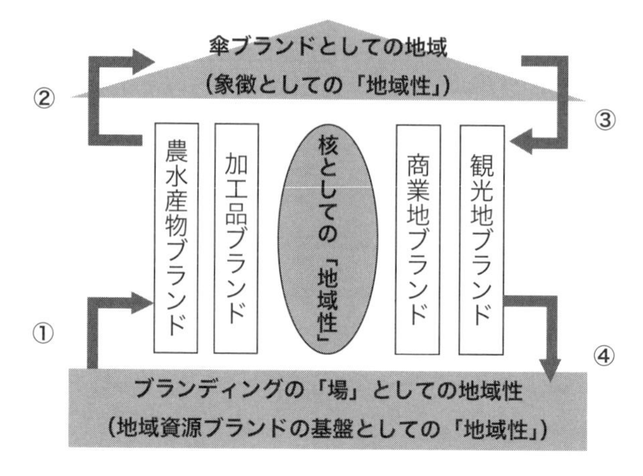

① 「地域性」を生かした地域資源のブランド化
② 地域資源ブランドによる地域全体のブランド化
③ 地域ブランドによる地域資源ブランドの底上げ
④ 地域資源ブランドによる地域（経済）の活性化

（出所）青木（2004），p.16。

地域ブランド構築の第1ステップとして，ブランド化可能な個々の地域資源（農水産物，加工品，商業集積，観光地など）を選び出し，ブランド構築の基盤ないし背景として地域性を最大限に活用しつつ，ブランド化していく段階がある。第2ステップは，地域資源を柱としつつそこに共通する地域性（当該地域の自然，歴史，文化，伝統に根ざすもの）を核として「傘ブランド」としての地域ブランドを構築していく段階である。第3ステップは，地域ブランドによる地域資源ブランドの強化と底上げの段階である。この段階では，地域ブランドが象徴する地域性と各地域資源ブランドに共通する核となる地域性との間に一貫性，整合性が存在する必要がある。第4ステップは，底上げされた地域資源ブランドによって，地域経済や地域自体が活性化される段階である。地域に経済的な価値をもたらすのは，各地域資源ブランドであり，地域ブランドが確立され，各地域資源ブランドの競争力が増すことによって，地域経済の活性化が進むことが期待される（青木 2004, pp.14-17)。

4）関満博と及川孝信の『地域ブランドと産業振興』(2006 年 3 月）では，地域ブランドの過去と未来と区分し，従来の産地における独特の地域ブランド形成から，現在の地域ブランドで論じられている地域の重要性，それは，「人の姿の見える地域」を指し，それを豊かにするための産業化が求められていることを強調している。9 つの地域の事例展開を通じて，地域産業マーケティングのあり方を示している（関・及川 2006)。ここでの地域ブランドとは，派手さや注目度よりも，持続可能な地域が誇りを抱いて取り組める内容であると信じており，各地の「身の丈」にあった，段階的な取り組みこそが地域ブランド形成の真骨頂であると考えている。また，地域ブランド化の発達プロセスを図式化している。

5）財団法人東北開発研究センターの地域ブランド研究会の『創造 地域ブランド』(2005年 7 月）における地域ブランドは，「こういう地域にしたい」という活動の積み重ねによって構築されるものであり，信頼と誇りに裏打ちされた地域のありようが地域ブランドといえるとしている（財団法人東北開発研究セ

図2－3　地域ブランド形成の要素

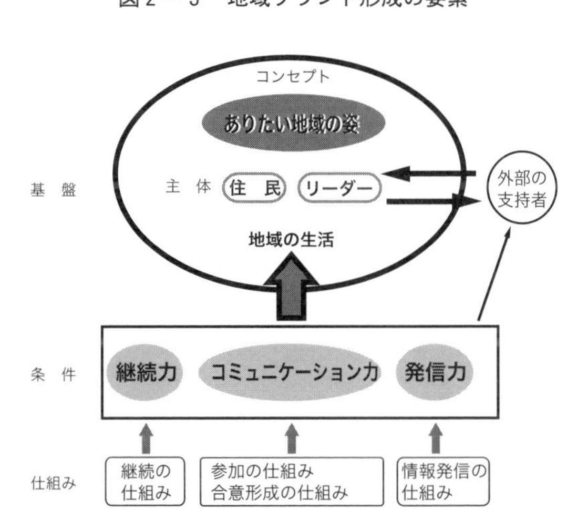

（出所）財団法人東北開発研究センター（2005), p.27。

ンター 2005)。地域ブランド形成の4つの方向性を提示している。①地域の暮らし方を描くブランド，②小さなもの，見えなかったものの価値を生かすブランド，③人に貢献するブランド，④価値を共有するブランドである。また，地域ブランド形成の要素は，図2－3のとおりである。

6）阿久津聡と天野美穂子の「地域ブランドとそのマネジメント課題」『マーケティング・ジャーナル』(No.105 2007年）では，47都道府県を対象に実施したアンケート調査をもとに地域ブランドの取り組みと現状認識を行ったうえで，地域ブランドについて論じている（阿久津・天野2007)。この論文における地域ブランドの定義は，地域の活性化を目的とした，ある地域に関係する売り手（あるいは売り手集団）の，当該地域と何らかの関係性を有する製品を識別し，競合地域のものと差別化することを意図した名称，言葉，シンボル，デザイン，あるいは組み合わせとしている。これは，AMAのブランド定義を地域ブランド版に組みなおしたものであるといえよう。また，アーカーのブランド・エクイティの考えを基礎に地域ブランド・エクイティの必要性を示している。

7）日本総合研究所の金子和夫によると，地域ブランドを開発・育成・確立するためには，地域にこだわった商品づくり，消費者と直結した流通チャネル，生産者の名前と顔と思いを伝えるプロモーションの3点に関する展開ポイントを示している[3)]。①地域にこだわった商品づくりでは，(1) 地域特性の掘り起こし，(2) マーケットインの発想，(3) 商標の登録である。②消費者と直結した流通チャネルでは，(1) 地産地消で安定性を確保，(2) 参加体験施設でファンづくり，(3) 生産者と消費者をダイレクトに結ぶ直接販売システムである。③生産者の顔と名前と思いを伝えるプロモーションでは，(1) 商品に情報価値を付加，(2) デザインなどの表現戦略，をあげている。また，地域ブランドのビジネスモデル化を提示する一方で，今後の課題として，地域においてブランドの運用に関するガイドラインを作成するとともに，地域全体でガイドラインの理解と浸透を図るためのマネジメント体制を整備することをも示している。

図2－4　地域ブランドのビジネスモデル

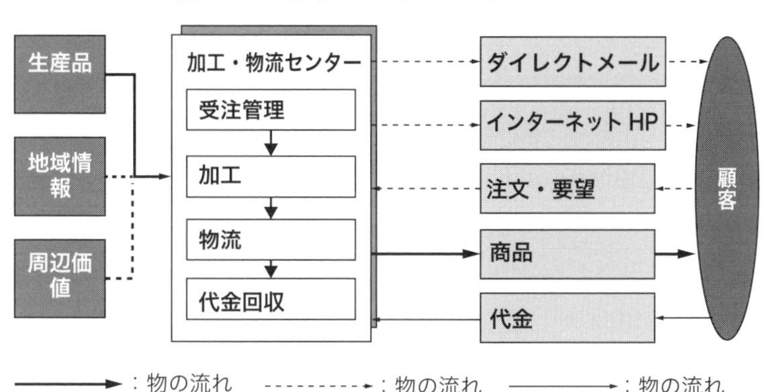

（出所）www.chiiki-dukuri-kyakka.or.jp

8）フィリップ・コトラー（Philip Kotler），ドナルド・ハイダー（Donald Haider），アービング・レイン（Irving Rein）らの『地域のマーケティング』（*Marketing Places* の訳本1996年）では，地域と訳されているが場所を意味しているもので，これをマーケティング・ミックスの製品として捉えて論じている（井関監訳・前田・千野・井関訳 1996）。地域ブランドの先駆けとして位置づけられている。

9）田中章雄『事例で学ぶ！地域ブランドの成功法則33』では，経験則から導き出される法則を33にまとめている[4)]。その地域ブランドの観点はブランドの視点であり，本質とかかわっているものである。例えば，その法則1として「ブランドとは，徹底したこだわりにより，差別的優位性がつくられた商品に与えられる称号である」としている。また，その続編としての意味合いをもっている『地域ブランド進化論』では，地域ブランドして地域名のついた商品であっても，次の場合には当てはまらないとしている（田中2012，p.12）。①その地域の原材料を使用していない，②その地域で製造されていない，③その地域特有の特徴や製法が生かされていない，④その地域がもつイメージと乖離している，⑤顧客満足度が低い（評判が悪い），⑥類似商品と同等か安い価格でしか売れない，⑦継続的な製造・販売ができない，⑧商品に携わる人が極めて限られており，地域全体への広がりがない，の８つのうち１つでも，該当すれば地域ブランドとして成立しにくいと指摘している。また，同時に地域ブランド戦略の立て方と進め方を示している。

10）和田充夫を始めとする電通 abic-project 編『地域ブランド・マネジメント』では，地域ブランドの定義として，その地域が独自にもつ歴史や文化，自然，産業，生活，人のコミュニティといった地域資産を体験の場を通じて，精神的な価値へと結びつけることで，「買いたい」「訪れたい」「交流したい」「住みたい」を誘発するまちとしている（電通 abic-project 編 2009，p.4，図２－５）。地域ブランドの構築とは，こうした地域の有形無形の資産を人々の精神的な価値へと結びつけることであり，それによって地域の活性化をはかることであるとしている。また，地域ブランドの計画プロセスや評価と目標設定にも論じている。

図２－５　体験価値による地域ブランド構築

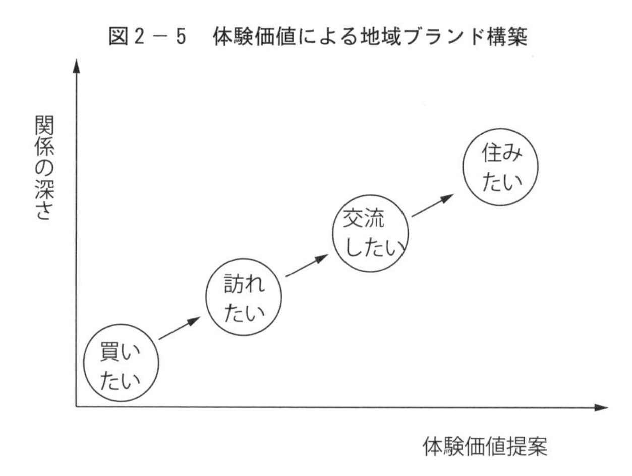

（出所）電通 abic-project 編（2009），p.7。

11）古川一郎編『地域活性化のマーケティング』では，ブランドを社会的に共有された記憶の意味で用い，「～らしさ」がブランドとしている（古川編2011，p.２）。地域ブランドに関する議論の３つの問題点を指摘している。①優れたブランドを創り上げた営利企業のモデルを理想としていること，②理想と現実のギャップを明確にし，具体的なアクションにつなげていくことは難しいこと，③すでに出来上がった商品やサービスをいかにブランドに仕上げていくかということ，である。また，ブランドに対する一貫性を維持するために必要なものは，集団がぶれない基軸を共有することを強調している。

以上みてきたように，地域ブランド研究は，各地域においてますます研究拡大の様相を呈してきている。その際に，地域ブランドの定義の統一がなされないままの状態であることは残念である。そこで，筆者の考える地域ブランドの定義は，地域活性化のために，地域資源を顧客価値に転換することである。これは，地域の資源を活用し，マーケティングの視点で，地域の人が創りあげるものを意味し，そこには，地域住民の幸福感をもたらすものでなければならないと考える。

第4節　壱岐焼酎における地域ブランド形成プロセス

1．壱岐焼酎を取り上げる意味と実態調査

壱岐の島は周りが海にかこまれており，人的交流が盛んであるものの島という特定の地域であること，歴史的に麦焼酎の発祥の地であること，現在も麦焼酎が根付いていること，日本で地理的表示の産地指定を認められている地域であることなどから，地域ブランド形成プロセスの調査対象地域とした。

壱岐焼酎の原材料は麦であり，水も玄武岩を通じたものを利用して，明治33年の酒税法ができる前は自家用として焼酎を作っているところが多くあった。しかし，酒税法をきっかけにビジネスとして展開するために，より一層の品質や味へのこだわりが生じた。更なる発展のために，消費者ニーズへの対応として，まろやかさやソフトな味を追究して多様な商品が生まれている。

2．実態調査に対する考察

調査からみえてきたことは，地域ブランド形成プロセスは，その地域における歴史性や文化性に根付いた，その商品に対するこだわりや品質が消費者ニーズに対応する形で地元貢献につながり，やがて地元という地域だけでなく地域拡大というふうにスパイラル・アップした地域活性化への構図が考えられる。

壱岐の焼酎は顧客価値に転換する前は自家消費・自家用途のためであったが，地域住民が生活のために企業を起こし，ビジネスを展開してきている。この自家消費からビジネス展開への変化が顧客価値を考えることにつながっており，地域で獲れる麦や水という地域資源を顧客価値に転換させることであり，地域活性化につながっていくものであるといえる。構図で示している要素項目はどれひとつ欠けても，地域ブランド形成にならない。例えば，歴史性や文化性があるからといって，こだわりや品質が良くなくては地域ブランドにならないし，消費者ニーズにマッチさせなくては継続維持が困難であると考えられる。地域資源の転換は顧客にとって価値あるものでなければ自画自讃で終わってしまう。

また，地域ブランド形成プロセスにおいて，初めの消費者，通常，イノベーター（革新者）の存在への考察が欠かせない。社会心理学者のヤンケロビッチによる意識のピラミッド，価値観のヒエラルキーによる観点では，①ソース(Source)＝基本的意識，性格として人がもって生まれた先天的資質，②バリュー(Value)＝価値観として種々の物事に対する姿勢，社会との接点でもつ生活意識，③クライテリア（Criteria)＝ある判断，選択を迫られた時に優先順位を決めるよりどころ，④テイスト（Taste)＝生活の志向，好み，感性で，具体的な事象に対する志向，好み，意見，考え方，⑤マニフェステーション(Manifestation)＝生活行動，実際の選択，行動となっている。人間の意識は①から⑤への流れをたどるとしているが，森によると行動から意識へと逆流することもあるとしている[5)]。地域ブランド形成プロセスにおけるイノベーターについて，価値観のヒエラルキーでみることにする。①ソースは個人のもって生まれたものであるからあまり影響するとは考えにくい。②バリューはその地域で生活するという価値観である。③クライテリアは地元優先，④テイストは焼酎が好きか否か，⑤マニフェステーションは地元焼酎を購入するといったことになる。これらのことから，焼酎のイノベーターは地元を愛し，焼酎が好きな人々のことである。しかし，このイノベーターは地域ブランドを形成しようと考えていたのではなく，結果によって地域ブランドが出来上がったというのが論理の帰結である。そこには，このイノベーターがアーリーアダプター（初期採用者）に影響を与えたからこそ，地域ブランドが形成されている状況にあるといえる。

第5節　地域ブランドの諸側面

1．地域ブランド・チェックリスト

マーケティング・コントロールの考え方は，地域ブランドを考える際にも，チェックリストの作成によって，効率的に地域ブランド構築に向けて作業を進めることができる。このことは，地域ブランド・マネジメントに役立つものである。この場合も，チェックリスト項目は，地域の実情や対象ブランドによっても多少異なってくる。

例えば，独立行政法人中小企業基盤整備機構「地域ブランドマニュアル」平成17年6月の中に，地域ブランド戦略への取り組み状況を管理者や担当者が自己採点できるようにし，問題点を導き出せるように，30項目による簡易版の地域ブランド・チェックシートが提示されている[6)]。主なチェック項目として，ブランドの理解15点，ブランド・マネジメント15点，ブランドの管理15点，ブランド・プレミアム15点，ブランド・コミュニケーション15点，ブランド・ロイヤルティ15点，マインド10点の合計100点となっている。

また，取り組み体制に関するチェックリストを博報堂・地ブランドプロジェクト編『地ブランド』（pp.120-124）を参考に作成した。

あなたが取り組むのは何のブランドですか？（対象の明確化）
何のためにその取り組み（ブランド化）を行うのですか？（目的の明確化）
ブランドに関する価値の内容を確認していますか？
そのブランドを支持してほしいのはどんな人々ですか？
そのブランドがお客様にできる約束は何でしょうか？
そのブランドの競合はどこですか？
取り組みの主体・責任者は誰ですか？
取り組みを成功させるために巻き込むべき人・組織・団体は？
取り組み期間は？
必要な予算はどこから入手しますか？
どのくらいの予算が見込めますか？
成果は何で確認しますか？

このチェックリストのメリットは，地域ブランド推進にあたり，作業上のモレの確認ができるということであり，チェックリスト協働作業の中で，組織に一体感が生じれば，活動にはずみがつくことになる。

2．地域ブランドの国際化

地域ブランドは国際化が可能であろうか？という問いには，可能であると考えられる。そもそも地域ブランドは，その地域のみならず広く日本国内を意識していることは確かである。ここでの国際化とは，国内を越えて海外で知れ渡ることを意味している。つまり，地域ブランドの認識，特産品の海外展開，海外における地域ブランドへの信頼があることをさしている。例えば，メイド・イン・ジャパン（Made in Japan）は，日本製品に対する信頼の印として海外では有名である。これは，日本を指していることになるが，これの地域版も当然，存在することが考えられる。これの普及には，海外からのビジネスマン，観光客，留学生などによる地域ブランドに対する信頼が必要である。

地域ブランドの国際化は，商品のライフサイクルのような考え方を用いることができる。地域ブランドの海外への導入期，成長期，成熟期，衰退期といった区分である。地域ブランドの展開においては，マーケティング戦略が欠かせない。日本政府は，ジャパン・ブランドとして地域の特産品などを海外展開することを試みている。福岡県では，博多織がとりあげられている。

インターブランド社によるブランド資産評価ランキング50において，日本に関するブランドがとりあげられているのは，トヨタ，ソニー，ニンテンドーである。海外では，企業名であり，商品名である。しかし，地域ブランドは観光に関連して浮上する可能性がある。日本は現在，観光において日本へのインバウンド政策を進めているからである。例えば，大分の湯布院は韓国人の観光客に人気がある。これは，韓国人にとっては，地域ブランドである。

地域ブランドが海外で展開されるかどうかは，地域ブランドの顧客吸引力にかかわっていると考えられる。それは，希少性であり，かつ，品質の優良性が顧客にとって魅力であるものであるかどうかである。海外で展開される前にまず，地元から愛されることであり，その空間的広がりの中で海外に受け入れられることになる。メイド・イン○○地域のブランドが海外で受け入れられるには，様々な要因を考慮しながらのマーケティング展開を実施していくことになろう。

注

1）www.chiiki-dukuri-kyakka.or.jpの中のブランド機能を参照。

2）独立行政法人中小企業基盤整備機構「地域ブランドマニュアル」平成17年6月の中に，経済産業省の地域ブランドの定義も提示されている。

3）www.chiiki-dukuri-kyakka.or.jpの中の地域ブランドの展開ポイントを参照。

4）田中（2008）に多くの地域ブランドに関する事例が紹介されている。

5）www.mindreading.jp におけるシンプルマーケティングのライフスタイルの箇所を参照した。

6）独立行政法人中小企業基盤整備機構「地域ブランドマニュアル」平成17年6月の中

に，30項目による簡易版の地域ブランド・チェックシートが39～45ページに提示されている。

参考文献

(1) 青木幸弘（2004）「地域ブランド構築の視点と枠組み」『商工ジャーナル』2004年8月，pp.14-17。
(2) 青木幸弘・恩蔵直人編（2004）『製品・ブランド戦略』有斐閣アルマ。
(3) 阿久津聡，天野美穂子（2007）「地域ブランドとそのマネジメント課題」『マーケティング・ジャーナル』No.105，日本マーケティング協会。
(4) 生田孝史，湯川杭，濱崎博「地域ブランド関連施策の現状と課題～都道府県・政令指定都市の取り組み～」研究レポートNo.251　富士通総研経済研究所，2006年1月。
(5) 井関利明監訳，前田正子，千野博，井関俊幸訳『地域のマーケティング』東洋経済新報社，1996 年。(Philip Kotler, Donald Haider, Irving Rein, *Marketing Places*, Free Press, 1993. の訳本)
(6) 片山富弘（2009）『顧客満足対応のマーケティング戦略』五絃舎。
(7) 片山富弘監修（2007）『九州観光マスター検定1級公式テキストブック』福岡商工会議所。
(8) 片山富弘監修（2011）『九州観光マスター検定2級公式テキストブック（新版）』福岡商工会議所。
(9) 財団法人九州経済調査協会編（2004）『フードアイランド九州』九州経済調査協会。
(10) 財団法人東北開発研究センター（2005）『創造地域ブランド』河北新報出版センター。
(11) 関満博，及川孝信（2006）『地域ブランドと産業振興』新評論。
(12) 田中章雄（2008）『事例で学ぶ！地域ブランドの成功法則33』光文社。
(13) 田中章雄（2012）『地域ブランド進化論』繊研新聞社。
(14) 電通 abic-project 編（2009）『地域ブランド・マネジメント』有斐閣。
(15) 永野周志（2007）『よくわかる地域ブランド・改正商標法の実務』ぎょうせい。
(16) 西日本新聞社（2004）『九州データ・ブック2005』。
(17) 日本交通公社編（2004）『観光読本』東洋経済新報社。
(18) 長谷政弘編（2000）『観光マーケティング』同文舘。
(19) 長谷政弘編（2003）『新しい観光振興～発想と戦略～』同文舘出版。
(20) 古川一郎編（2011）『地域活性化のマーケティング』有斐閣。
(21) 矢崎栄司編（2012）『僕ら地域おこし協力隊』学芸出版社。
(22) 和田充夫（2002）『ブランド価値共創』同文舘出版。
(23) 和田充夫・日本マーケティング協会編（2005）『マーケティング用語辞典』日本経済新聞社。

（片山富弘）

第3章　関係人口－新たな地域活性化の主体

人口減少は，地域活性化を考える際に避けて通ることができない社会課題である。地域活性化の主体である住民や企業が減少することは，地域社会自体の存続に直結している。政府や地方自治体は，これまで移住定住政策や交流人口政策をとってきたが，その恩恵を受けることができたのは，ごく一部の自治体にすぎない。地域社会を維持し活性化するには，移住しないまでも，自分の出身地や好きな地域を継続的に支援し続ける主体であり，地域外部の新たな経営資源である「関係人口」を積極的に創出し，拡大していくための地域経営戦略とマーケティングが必要である。また，「経済的豊かさが人間を幸福にする」という画一的な考え方自体を見直すことも重要である。

第1節　「関係人口」論の社会的背景

1．本格的人口減少時代における地域活性化の課題と観光への期待

2014年5月に日本創生会議・人口減少問題検討分科会によって「成長を続ける21世紀のために『ストップ少子化・地方元気戦略』」（通称「増田レポート」）が発表されて以降，「地方消滅」という言葉が話題となった。増田レポートでは，全国に1,794ある地方自治体のうち，半数以上の896自治体が「消滅の可能性がある」と実名付きで指摘された。これに対し政府は，「まち・ひと・しごと創生政策（以下，「地方創生」政策）」を掲げ，人口減少と高齢化の併進から衰退が危惧される地方自治体について，「人口ビジョン」と「地方版総合戦略」を策定させ「移住・定住政策」（総務省）と「交流人口政策」（観光庁）の両輪で地域活性化の担い手と財源を確保しようとしてきた。それは，地方部に新たな産業を創生しながら，子育てをしやすい環境を整え，住みやすい地域づくり

を行うというものだった。しかし，移住・定住政策の核である年金生活者の移住と労働人口の移転（就農など）は，医療や収入，こどもの教育の問題などから思うように進まず，自治体間での移住者の取り合いとなった。一方，交流人口政策の目玉は，今世紀に入って目覚ましい経済発展を遂げた新興国中間層の爆発的な海外旅行エネルギーを捉えた訪日観光客誘致政策（以下，インバウンド政策と呼ぶ）であり，2003年以降「ビジット・ジャパン・キャンペーン」として訪日観光客数の大きな伸びという点においては成果を上げているように見えた（図３－１）。

しかし，政府の政策は，必ずしも人口減少地域の自治体において成果が得られているわけではなく，移住・定住が進まないばかりか，2019年に3,188万人に達した訪日観光客のもたらす経済的インパクトの恩恵を受ける自治体は限定的であった。観光庁の「宿泊観光統計」によると，訪日外国人の宿泊先は実に73.4%が東京・大阪・京都・北海道・沖縄・千葉・福岡の7都道府県に集中しており，残った40県への宿泊はわずか26.6%にすぎない[1]。また，３大都市圏（東京都・埼玉県・千葉県・神奈川県・愛知県・京都府・大阪府・兵庫県の８都府県）

図３－１　訪日外国人数の推移（2003－2022）

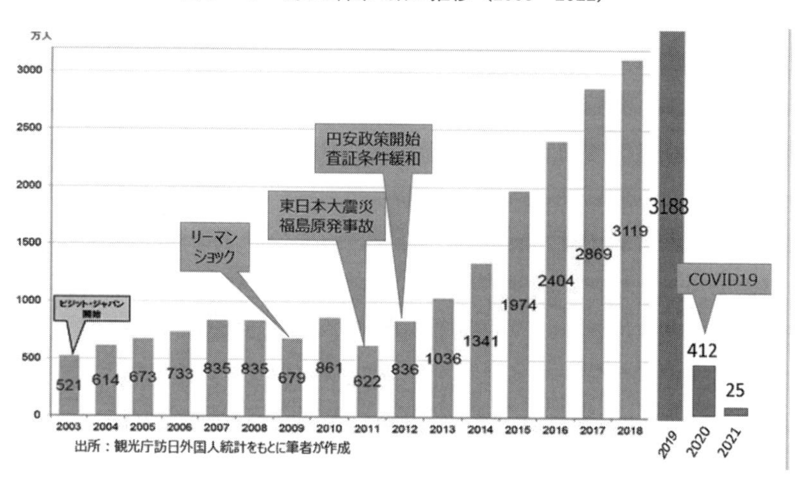

（出所）観光庁訪日外国人統計をもとに筆者が作成。

図3－2　訪日外国人数の推移（2003－2022）

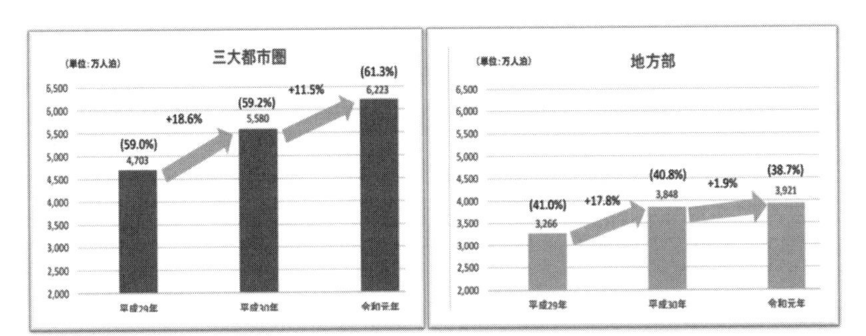

（出所）観光庁「2019年宿泊旅行統計（速報値）」報道資料。

と地方部39道県との格差は，むしろ拡大する傾向にある（図3－2）。

日本の観光消費額は，コロナ禍前のピークである2019年に27.9兆円を記録したが，約23.1兆円（82.8%）は日本人によるものであり，インバウンドの観光消費は約4.8兆円（17.2%）にすぎない。これは，日本人の日帰り観光客の総消費額とほぼ同じ市場規模である（図3－3）。観光国内需要には，日本の国内観光産業を支え続けるに十分な大きな力があるだけでなく，リピーター化の促進や体験型観光，スローツーリズムなどの活用によって，地域を活性化させる大きな可能性を有している。

2020年1月から世界を席巻している新型コロナウイルス（COVID-19）によるパンデミックは，インバウンド観光の停止によるインパクトが大きかったとの誤った認識が未だにまかり通っている。コロナ禍の打撃は，国内観光においてより大きかった。2020年にはインバウンドの観光消費が前年比マイナス4.1兆円であったのに対し，日本人の観光消費の減少は12.3兆円と約3倍にのぼった（図3－3）。地方部の観光を支えてきた数々の老舗旅館やホテルが廃業に追い込まれたのは，日本人が国内旅行をできなかったことが主要因である。

図３－３　新型コロナウイルスによる観光消費額の変化（2019－2020年）

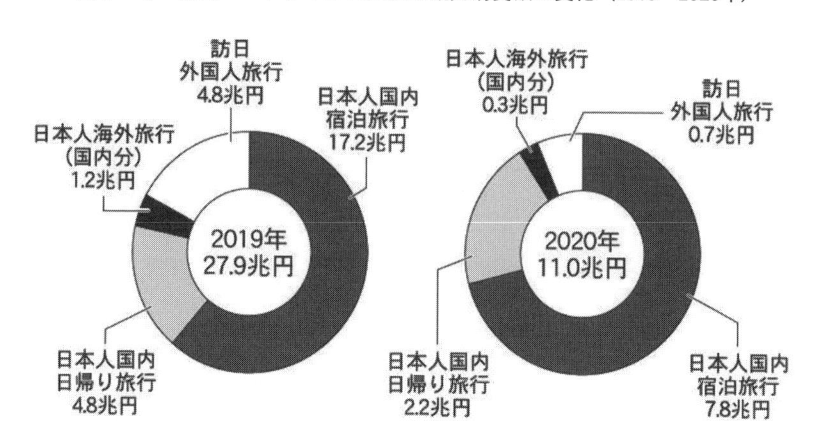

（出所）観光庁「旅行・観光消費動向調査」速報値（2021/４/30）

２．「関係人口論」の登場と「地方創生」政策への活用

第１期地方創生政策（2015－2019年）の政策目標の一つ「東京一極集中の解決」もうまくいかなかった。「2018年には，2014年に比べ29の府県で転出超過が拡大し，その間，東京圏の転入超過数は24.7％増加した」[2)]。グローバル社会での国際競争において，東京は重要な産業と金融の拠点であり，政策自体に矛盾があるといえる。

では，人口減少が避けられない地域は，どうようにして地域を活性化すればよいのだろうか。その点で，注目されているのが第２期地方創生政策（2020－2024年）の大きな柱となっている「関係人口」の持つ力である。日本の総人口減少が避けられない以上，今後の地域政策は人口減少を前提としたものでなくてはならない。各地域の人口減少を補完する人的経営資源は，地域の外側に求めざるを得ないが，人口減少を補完し増加に転じるだけの移住定住人口は現実的に期待できない。そこで注目されている「関係人口」は，「移住した『定住人口』でもなく，観光に来た『交流人口』」でもない，地域と多様に関わる人々[3)]」と曖昧に定義されているが，交流人口，移住定住人口に続く第３の人口として，本格的人口減少時代の日本を支える大きな力となると考えられている。政府は全国の自治体の半数を超える1000以上に，関係人口政策を取り組ませるという目標を立てており，すでに全国の自治体でその創出と活用への取り組みが進められている。

第2節　関係人口の類型と観光まちづくり

1.「関係人口」の概念と定義

「関係人口」という言葉を初めて用いたのは，高橋博之と指出一正であった。高橋（2016）は疲弊する都市住民と農山漁村とをつなぎ共生関係を取り戻す接点として「食」の重要性に注目し,「交流人口と定住人口との間に眠る」[4)]人々を関係人口と呼んだ。指出（2016）は，都市の若者を中心に「地域に関わってくれる人口[5)]」を関係人口と定義し，移住しない人口が果たす「ローカル」とのかかわり方の多様性と地域づくりにおける役割の幅広さに言及している。田中輝美（2017）は，島根県の移住定住政策「しまことアカデミー」の綿密な取材を通じ，必ずしも移住をゴールとしない島根県の自治体政策を取り上げた。田中は，関係人口が地域の課題解決の新たな主体となると論じる[6)]。

こうして注目された関係人口論は,「これからの移住・交流政策の在り方に関する検討会」（2016～2017年；座長 小田切徳美）での議論を経て，2018年から政策として取り上げられた。2018年度に30自治体，2019年度に44自治体の取り組みが「関係人口創出モデル事業」として採択された。第4章で紹介する福岡県うきは市も2018年度からモデル事業に参画し，筆者の中村学園大学も同市の「関係人口パートナー企業」として活動に参画してきた。

2. 関係人口の類型と観光の新たな役割

関係人口には，先天的関係人口と後天的関係人口とがある。前者は，地域内に血縁などのルーツを持つ人々である。彼らは，故郷から何らかの理由で転出した人々であるが，近居から故郷の社会活動（祭りやイベントの運営，援農，消防団など）に参画している。後者は，元来地域と無関係であった人々が仕事や一時的な居住，観光体験を通して地域と深くかかわり，継続的に地域を支援するに至るケースである。その意味で観光，特に観光者と地域住民との結びつきを生む体験型観光には，後天的関係人口を創出する重要な役割が期待される。

図３－４　交流人口・定住人口と関係人口

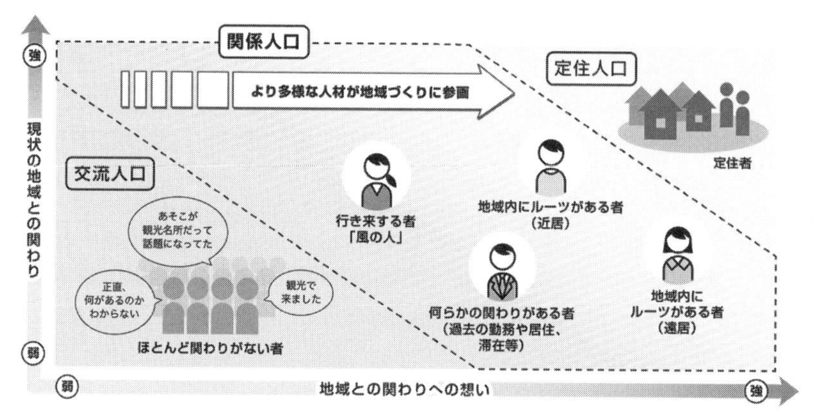

（出所）総務省「関係人口ポータルサイト」https://www.soumu.go.jp/kankeijinkou/

3．関係人口の質と地域課題への関与の多様性

関係人口の地域とのかかわり方は実に多様であり，関与の時間的長短，関与する人々の規模の大小，関与の深さも様々である。また，自治体の地理的枠組みを超えて，広い範囲から地域と結びついていることに最大の特徴がある。地域行政や地域社会では，自分たちだけの力で課題解決しようとする意志が強いが，地域の外側から支援してくれる関係人口を活用することで様々な課題の解決が可能になる。関係人口論は，その意味での「発想の転換」と言える。

2011年の東日本大震災では，多くの若者たちが復興ボランティアとして大都市圏から東北の生産地に入り込んで，10数年を経た今でも生産者を支援し続けている。2018年の筑後地方集中豪雨被害では，福岡都市圏から多くのボランティアが駆け付けた。災害復興や援農などの地域課題は多くの人手を得ること，すなわち，関係人口の量的関与で解決が可能である。

一方，生産地と消費者を結び付けるマーケティングやDX（デジタルトランスフォーメーション），観光サービスの高度化などの課題は，地域に内在しない知識やノウハウを持った関係人口の関与が必要になる。佐賀県の嬉野温泉では，大型温泉旅館の客室の半分をサテライトオフィスに改築し，県の支援を受けながら首都圏からの企業誘致に成功した。進出した企業は，嬉野茶のウェブマーケティングや販路拡大などに力を発揮している。こうしたワーケーションの取り組みは，コンピテンシーの高い関係人口を遠隔地から誘致するのに有効である。

こうした関係人口の構築には，地域と外界をつなぐ「橋渡し」をするブローカー的な人物の存在が重要となる場合が多い。特に高いコンピテンシーを有する関係人口のネットワーク化には，そのようなキーパーソンが「関係人口ハブ」として機能している。

4．1970年代湯布院の観光まちづくりにおける関係人口

関係人口論は，言葉こそ新しいが，昔から地域活性化には存在していた考え方である。そのことは，1970年代から1980年代にかけて，日本のトップ温泉地へと成長した湯布院の観光まちづくりに見ることができる。そこには多くの関係人口がかかわっており，外からの力で湯布院を支え，発展させてきた。1920年代には，今日「別府観光の父」と呼ばれる油屋熊八（1863－1935）が小村であった湯布院の湯の坪に別荘を建て，与謝野鉄幹夫妻をはじめとする著名人を招いている。なかでも明治神宮の森や大濠公園の設計者として知られる本田静六（1866－1952）は，油屋の依頼により現地で講演し，その主張は『由布院温泉発展策』（1924）として出版された。本田は湯布院の目指すべきモデルとして，ドイツの温泉保養地を挙げており，1970年代の中谷健太郎，溝口薫平らを中心とした湯布院温泉のまちづくりに大きな影響を与えた。中谷らは1972年に渡独して，温泉保養地の長期視察をしており，今日の湯布院温泉の「小さいことの価値」や「住んでよし，訪れてよし」という今日の観光まちづくりの基本

ともいうべき方向性を見いだしている。

1975年４月21日に発生した大分県中部地震は，湯布院のまちづくりに転機をもたらした。大地震の風評被害を克服し，観光客を呼び戻すために，辻馬車の運行や湯布院音楽祭，牛喰い絶叫大会，湯布院映画祭など，半世紀後の今日も受け継がれている様々な観光資源やイベントが短期間で生み出された。一連の観光の仕掛けは，湯布院を愛し，積極的に支援する人々（今日でいう「関係人口」）の力によるところが大きいことは，中谷の著書『たすきがけの湯布院』（1984）に克明に記されている。例えば，辻馬車の運行に必要な馬は宇佐市保健所長の紹介で対馬から安価に購入されている。音楽祭には九州交響楽団の音楽監督や首都圏の演奏家が協力している。また，第１回牛喰い絶叫大会には，「牛一頭オーナー制度」の会員が参画した。

図３－５は1976年に始まった「湯布院映画祭」の関係人口を図式化している。湯布院町では湯布院温泉観光協会を中心に映画祭の企画が行われたが，これを低コストで実現するために町外の関係人口が力を発揮した。映画会社や映画監督，俳優など映画業界の協力が得られたのは，映画祭の関係人口ハブである中谷健太郎氏が東宝で働いていた時の人脈による。また，大分県内の「大分良い映画を見る会」の会員や映画ファンも運営の大きな力となった。

こうした湯布院の観光イベントは，地域住民，イベント関係者，観光者の交流を伴う形で運営された。映画祭では住民との交流会やバーベキュー大会が，音楽祭では地元の小学生とのコラボレーションによる音楽会が催された。「住んでよし，訪れてよし」の観光まちづくりポリシーが貫かれ，更に多くの関係人口を構築する推進力となった。

図3－5　湯布院映画祭の関係人口

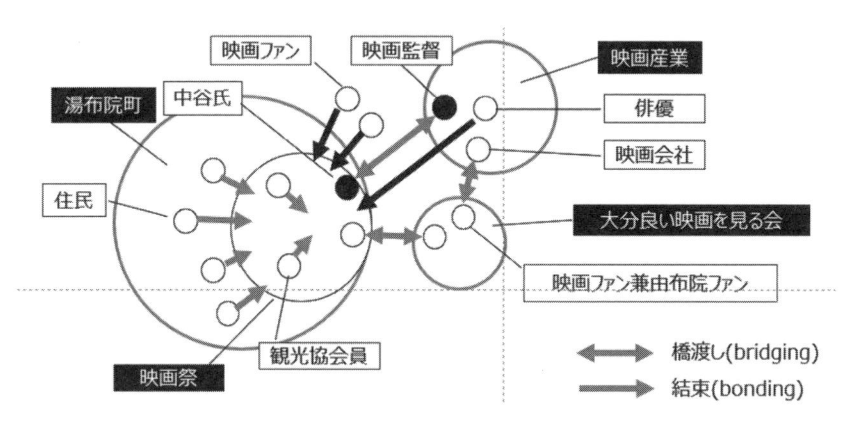

（出所）中谷（1984）を参考に筆者が作成。

第3節　関係人口論に基づく観光まちづくりと観光政策

1．関係人口を生み出す観光の研究と政策

関係人口を発生させるためには，人と人が直接的にコミュニケーションする機会が必要である。あるいは，地域の人々を支援したいという強いモチベーションを発生させる地域課題が必要である。観光は，地域と無縁な存在である観光者と地域住民を結び付ける機会となる。なかでも，地域の人々が観光者と体験を共にする「体験型観光」や住民参加型の観光は，共有する時間の長さや体験の与えるインパクトが大きく，「もう一度会いたい」「もう一度訪れたい」というモチベーションの創出に結びつく可能性が高い。

体験型観光や観光イベントを通した観光者の関係人口化のプロセスやメカニズムについては，近年，多くの研究が生まれてきている[7)]。その一方で，観光庁は2022年度から「第2のふるさとづくりプロジェクト」を開始した。同プロジェクトでは，「『何度も地域に通う旅，帰る旅』という新たな旅のスタイルの普及・定着を図る」ことを目的としており，その延長上に観光者の関係人口化や移住・定住を位置づけている。初年度の2022年度に19地区，2023年度に18

地区のモデル事業が採択され，スローツーリズム，ネイチャーツーリズム，農業体験，地域生活体験，サステイナブルツーリズム，ワーケーションなど多様な切り口での取り組みが開始されている[8)]。

2．観光政策におけるターゲットプライオリティと戦略の見直し

関係人口の地域課題解決力や地域再生力に注目する場合，各地域での観光政策は見直されなければならない。地域への短期的な経済波及効果を重視した従来の観光政策では，消費単価が大きいと考えられてきた訪日外国人観光客の優先度が高かったが，何度も繰り返し地域を訪問し，関係性を深める可能性という点では，国内からの観光者，特に日帰り圏や一泊圏からの観光者の方が重要視されることになる（図３－６）。日帰り観光客の観光消費は，前述のようにインバウンド客の消費規模に匹敵する充分に大きな市場である。

図３－６　関係人口論に基づく観光ターゲット市場プライオリティの変化

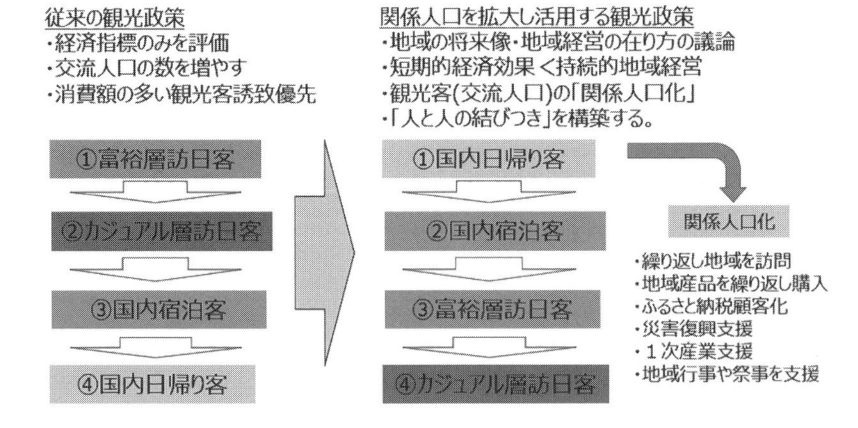

（出所）筆者が作成。

このように近隣地域からの誘客と関係人口化を目指す場合，地域との関係性や思いが強い転出者は，先天的関係人口となる可能性が高く，非常に有効なターゲットである。九州管内の人口動態では，大学進学やその後の就職で地方都市

から福岡都市圏への転出や県庁所在地を中心とした中核都市への転出が多く，関係人口になりえる潜在的転出者がプールされている。こうした潜在的関係人口を出身地と結びつける政策としては，居住自治体以外への住民登録を行う「ふるさと住民票[9]」が知られている。

観光政策としては，体験型イベントやスローフードフェアの定期的開催[10]，住民参加型の体験型観光ツアーの開発・運営などが有効であることが，1990年代以降のイタリアでの取り組みなどから分かっている[11]。地域を訪れる観光者は実に多様であるが，自らの地域への観光者の訪問形態をポートフォリオ化したうえで，関係人口化に有効な形態についてのアクションを企画・運営することが重要である。

図3－7　観光ポートフォリオの例

分類	個人客	団体客
訪日宿泊客	①一般訪日旅行者	①団体ツアー客
	②農泊・漁村泊客	②農泊・漁村泊ツアー
	③訪日ビジネス客	③修学旅行
	④スポーツイベント参加者	④交流・視察団
		⑤クルーズ乗客
訪日通過・日帰り客	⑥一般訪日旅行者	⑥団体ツアー客
	⑥MICE 参加者	
国内宿泊客	⑦一般国内旅行者	⑦バスツアー客
	⑧キャンプ客	⑧周遊型ツアー客
	⑨スポーツイベント参加者	⑨スポーツ・文化合宿
	⑩ツーリング客（バイク/自転車）	⑩ネイチャーツアー客
	⑪ネイチャーツアー参加者	⑪クルーズ乗客
国内通過・日帰り客	⑫近隣からのドライブ客	⑫バスツアー、JR ツアー客
	⑬食観光客	・
	⑭マリンスポーツ客	
	⑮バイクツーリング客	

［枠囲み］高いリピート性と関係人口化が期待できる観光形態

（出所）筆者が作成。

注

1）観光庁「宿泊観光統計2019（確定版）」。

2）藤波匠（2020）「第1期地方創生戦略の振り返りと今後のあるべき姿」JRIレビュー 2020 Vol.6, No.78, p３。

3）総務省「関係人口ポータルサイト；関係人口とは」（閲覧日：2023年８月15日）
https://www.soumu.go.jp/kankeijinkou/about/index.html

4）高橋博之（2016），p107。

5）指出一正（2016），p129。

6）田中輝美（2021），p291。

7）清水（2021），前嶋（2021），田原洋樹・敷田麻美（2022）など多様な研究が生まれている。

8）採択事業については，以下を参照してほしい。
2022年（令和４年）度：https://www.mlit.go.jp/kankocho/content/001480202.pdf
2023年（令和５年）度：https://www.mlit.go.jp/kankocho/page05_000261.html

9）一般社団法人構想日本の提案により，2016年に鳥取県日野町などで始まった取り組み。2021年12月時点で，全国10自治体に5,000人が登録している。

10）イタリアでは1990年代にキャンティなど近郊農業地帯でのスローフードフェアの定期開催が成功し，新たな観光市場の開発に成功した。本書第10章では，大分県臼杵市の事例を紹介する。

11）オルヴィエートに国際本部を持つ国際スローシティ協会では，イタリア国内のスローシティでの滞在や体験を組み合わせたツアー化に成功している。

参考文献

(1) 指出一正（2016）『ぼくらは地方で幸せを見つけるソトコト流ローカル再生論』ポプラ新書。

(2) 清水苗穂子（2020）「観光地域づくりにおける関係人口創出を目指した取り組み―地域イベントに注目して―」阪南大学・阪南論集56（2），pp.67-77。

(2) 高橋博之（2016）『都市と地方をかき混ぜる－「食べる通信」の奇跡』光文社新書。

(3) 田原洋樹・敷田麻美（2022）「交流人口から関係人口への変容可能性の検討：観光経験による関与意識醸成と地域への継続的な関わり意向との関係」日本観光研究学会編 34（2），pp.49-64。

(4) 田中輝美（2017）『関係人口をつくる』木楽舎。

(5) 同 （2021）『関係人口の社会学-人口減少時代の地域再生』大阪大学出版会。

(6) 中谷健太郎（1984）『たすきがけの湯布院』アドバンス大分。

(7) 前嶋了二（2021）「小離島コミュニティの「関係人口」構築に関する一考察－「深島ねこ図鑑2019」は何を生み出したか－」中村学園大学紀要53号，pp.9-18。

(8) 増田寛也（2014)『地方消滅 - 東京一極集中が招く人口急減』中公新書。

（前嶋了二）

第Ⅱ編　実際編

第4章　福岡県うきは市－うきはテロワールとばあちゃんたちの挑戦

福岡県うきは市の全国的知名度は低いが，福岡・北九州都市圏では，「フルーツの町」，「スイーツの町」としてよく知られた日帰り観光地である。筑後川温泉や隣接する朝倉市の原鶴温泉などの温泉にも恵まれている。同市は，フルーツ栽培の環境特性を表す用語「うきはテロワール」を用いたブランド化戦略に取り組みながら，いち早く総務省の「関係人口創出モデル事業」（2018年度）にも挑戦してきた。また，2020年以降は高齢者の知恵と活力を生かしたソーシャル・ビジネスに取り組む「うきはの宝株式会社」のビジネスモデルが注目されている。

第1節　うきはルネッサンス戦略と「関係人口」構築への挑戦

1．うきは市の地域課題と「うきはルネッサンス戦略」

うきは市は，福岡市から車で約1時間の筑後川左岸，耳納（みのう）山脈北部に位置する人口28,000人規模（2023年4月現在）の小都市である。西に朝倉市，久留米市，東に大分県日田市が位置しており，人口の転出入は筑後川沿いの地域内と福岡市が中心で，特に久留米市との間で一番多い（表4－1）。

表４－１　うきは市の転入・転出人口（2019年）

	転入先		転出先	
	自治体	転入数	自治体	転出数
第１位	久留米市	118人	久留米市	225人
第２位	朝倉市	100人	福岡市	111人
第３位	福岡市	92人	朝倉市	92人
第４位	大分県日田市	51人	大分県日田市	32人
第５位	大分県大分市	22人	大刀洗町	24人
県内合計		456人		627人
総数		789人		914人

（出所）うきは市「第２期うきはルネサンス戦略」, p.112。

1955年の42,675人をピークに，ほぼ一貫して社会減と自然減が同時進行する人口減少が起きており，地方創生政策が開始された2015年には29,509人にまで減少した。年少人口（０－14歳）と生産人口（15－64歳）が減少し，2015年には老齢人口（65歳以上）比率が31.9%と超高齢化[1)]に突入している。市では国立社会保障・人口問題研究所（社人研）による2060年12,007人の人口予測を約3,000人減少抑制する15,048人を目標としている。

図４－１　うきは市の人口ビジョン

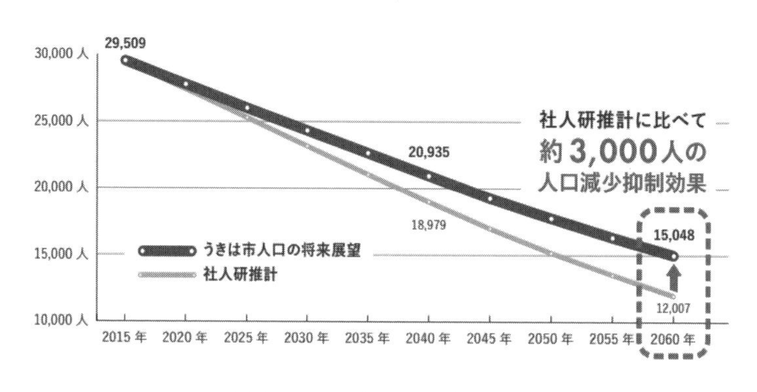

（出所）うきは市「第２期うきはルネサンス戦略」, p114。

多くの自治体では「第2期まち・ひと・しごと創生総合戦略」の期間を2020－2024年としているが，うきは市では2021－2025年を対象に「第2期うきはルネッサンス戦略」を立案した。同戦略の基本方針は，①うきはの資源活用と新たな雇用の創出，②地域コミュニティの再生と都市部からの人の呼び込み，③結婚から子育てを経て生涯夢を持ち生活することができるうきは市，④時代にあったうきはの地域づくりと広域的な地域間連携の4つである。具体的事業としては，第1期（2016－2020年）に取り組んできた創業支援拠点を活用した雇用創出や道の駅を中心とした観光戦略，後述する「うきはテロワール」による農産物のブランド化や6次産業化，就農支援などをさらに推進する内容になっている。

2．「関係人口」創出の取り組み

うきは市は，第3章で紹介した「関係人口」の創出について，総務省が事業化した初年度である2018年から取り組んでおり，個人向けには，「うきは応援団！UKIHA FAN CLUB」を結成し，首都圏および福岡都市圏をコアターゲットとした関係人口創出を目指してきた。首都圏では，東京アンテナショップ「福岡久留米館」を拠点にうきは出身者等を対象に情報発信及び交流会を開催して関係人口化やU・I・Jターンに関する情報提供を行ってきた。

うきは市への観光客供給，農産物消費の中心となっている福岡都市圏では，市と連携協定を結ぶ企業，大学，団体を「うきはパートナー団体」と位置づけ，道の駅うきは[2)]を核としたうきは産品社内販売会，農産物加工体験ツアー，棚田保全活動の体験などを紹介してきた。パートナー団体には，博多大丸，エフコープ，MUJIキャナルシティ博多，筑邦銀行など福岡県内の有名企業が並ぶ。パスタ専門店やドレッシングなどの食品販売を行う「株式会社ピエトロ」では，うきは産シャインマスカットを使用した贅沢スイーツメニューを全国展開している。筆者の所属する中村学園大学も商品開発，学園祭での農産物販売協力やフードバザーでのうきは産農産物を使った食の販売やうきはファンクラブ会員募集，後述の「つづら棚田オーナー」としてのゼミ活動などを行っている。

第２期うきはルネッサンス戦略では，コロナ禍で加速したワーケーションやデュアルライフ（二拠点生活）を促進し，支援することで関係人口の拡大と移住者の増加を図っている。企業との包括連携協定も積極的に拡大を図っており，九州電力（2020年７月），大塚製薬（2020年７月），サントリーホールディングス（2023年８月）などが相次いで協定締結を行った。

第２節　うきはテロワールとつづら棚田

１．農業生産環境のブランド化「うきはテロワール」

うきは市は，年間を通してフルーツを楽しむことができる観光地として知られる。ブドウだけで49種，モモ39種，カキ16種，ナシ13種と実に品種が多く，日本国内にはこのような生産地は類を見ない。なぜこのように優れた果実生産が年間を通して可能なのか，その生産環境を科学的に調査し，分析した結果をブランド化したのが「うきはテロワール」である。

「テロワール（仏語terroir）」は，元来，ブドウとワインの生産環境を表す言葉として用いられてきた。地形，気候，地質などその生産地に固有の生産環境と農産物の価値を一言で規定している。フランスのブルゴーニュ，ボルドー，シャンパーニュ，アルザス，ロワールなどの優れたワイン生産地には，固有の卓越したテロワールが存在する。

うきはのテロワールもうきは固有の優れたものである。稜線が23kmにもわたる耳納（みのう）山脈の谷間から流れ出る河川とその扇状地が20km以上の重なり合って続く，実に珍しい地形である。また，気温の逆転層が発生しやすく，霜害が少ないこと，風速１m/秒の微風地帯であることも果実生産に好条件である。阿蘇火山灰の堆積層は水はけがよく，筑後川の定期的氾濫による氾濫原が植物の生育をよくする。渇水が起きやすい夏期の降雨量が比較的多いことも果樹栽培に適している。

気候，地形，地質，土壌，地下水等の地理的環境面からの科学的調査結果によって明確化された「うきはテロワール」は，うきは産農産物のブランディングに有効であるだけでなく，生産者や市民の自信にもつながっている。市では，うきはブランド推進課を中心に，2019年から実際に「うきはテロワール（UKIHA TERROIR)」を住民や消費者の目につく形で，インターナル，エクスターナル両面にわたるマーケティングを行ってきた。

市は，内外両面にわたるマーケティングツールとして，「うきはテロワール【フルーツ版】」，「同【野菜版】」，「同【水版】」，「同【歴史版】」のパンフレットを製作，シンボルマークを採用し，公式サイトを立ち上げて情報の拡散を行ったほか，説明動画「3分でわかるうきはテロワール」を作成して周知を図った。市ウェブサイトのトップページも「うきはテロワール」をイメージしやすいビジュアル・フォトに変更した。また，次世代を担うこどもたちにも理解が進むよう，うきはフルーツの歌「うきうきうきは！フルーツパラダイス♪」や観光・歴史学習教材動画「うきはっけん伝」（約11分）を作成して教育現場に提供した。

エクスターナル・マーケティングとしては，雑誌『料理通信』の特集記事とタイアップした「うきはMEETUP」（2017年2月）をうきは市吉井地区の伝統的町屋で開催，人気フレンチシェフ・福山剛氏がうきはの食材を使った料理を福岡，佐賀，熊本，大阪などから抽選で集められた31人の消費者に紹介した。また，地元の生産者・加工販売者とともに銀座三越で1週間のPR出展（2018年9月）や福岡市のキャナルシティ博多の「Open MUJI」での企画展示（2018年9月）を実施した。コロナ禍直前の2019年には，糸島市で開催の「KBCオーガスタ」（8月），東京都内の都市型マルシェ「太陽のマルシェ」（9月）に出展した他，Yahoo！JAPAN本社内レストランでもPR（2020年2月）を行った。こうしたプロモーションが奏功し，2020年からはベルギーのチョコレート会社ゴディバとうきはフルーツとのコラボ商品が連続して，国内主要都市の百貨店に展開するアトリエ・ドゥ・ゴディバ店頭で展開されたり，森永製菓とコラボした販路拡大が行われたりするまでにブランド化が進んでいる。

図4－2　うきはテロワールのシンボルマークと商品への活用

UKIHA TERROIRの文字と耳納山麓の八つの扇状地をモチーフとしている。

（出所）うきはテロワールHP; https://ukiha-terroir.jp/promotion/index.php

2．「つづら棚田」の保全活動

市の重要な観光資源として，「棚田百選（1999年）」，「つなぐ棚田百選（2018年）」に選出された，江戸時代から続く美しい景観の「つづら棚田」がある。市街地から20分ほどであるが道が狭く，マイクロバスでのアクセスが精一杯である。9月中旬の彼岸花の開花期には多くの観光客が訪れる。約300枚規模の棚田の地権者はすでに10名を切っており，下流の集落や市街地へ転出した住民が多い。また，高齢化が顕著であり，後継者もなかなか確保できない厳しい状況にある。

市では1998年から「棚田オーナー制度」を発足させ，福岡や久留米など都市部住民の農業体験を通じた交流を図ってきた。ピーク期の2013年には，133組のオーナーが登録されたが，受入側農家の減少[3)]から2019年以降は60－70組規模に縮小し，市職員や地域おこし協力隊員，「つづら棚田を守る会」会員らが運営を支えている。大人数が参加する「田植え祭」や「収穫祭」などのイベント時には，地区を離れた住民が支援に戻ってくる姿もよく見られる。オーナー会員は，60－70代が多く全体の7割以上を占めることから，今後は若年ファミリー層などへのアプローチが必要である。会員の居住地は，福岡市が圧倒的に多く約半数を占め，続いて北九州市，久留米市の都市部がこれに続いており，都市住民にとっての農業体験・田舎体験の色彩が強い。

2012年7月の九州北部豪雨時には，つづら地区の家が流されたり，棚田に土砂が流入したりして耕作ができなくなったこともあったが，棚田オーナーをはじめ，それまで棚田に関わってきた人々が復旧ボランティア活動や募金を行って復旧することができた。

写真4－1　筆者ゼミ生が参加した「つづら棚田オーナー」イベント
（左：彼岸花球根植え，右：稲刈り）

（出所）筆者撮影（左：2022年7月17日，右：2022年9月）。

棚田の景観を維持するためには，稲作の維持が必要である。また，彼岸花も畔の強化のために毎年球根を植えなければならない。棚田オーナーが地区を訪れるのは年5回程度であり，耕作者のモチベーションにはなるが労働力としては不十分である。そのため年間を通して耕作活動を行う「つづら棚田を守る会」が市内の有志によって2006年に組織され，耕作面積の約3割を担って耕作放棄地の拡大を防いでいる。「棚田を守る会[4)]」では，稲刈り後の田んぼでの「お月見会」（2009年～）や春の棚田への集客を目指した「水仙植え」（2012年～），1月の伝統行事「鬼火焚き」（2015年復活）などの地域活動にも取り組んできた。また，2014年には，年間を通して耕作活動を体験しながら農業や地域づくりを学ぶ「棚田学び隊」が組織され，会員が地域外から参加して，活動を支援してきた。

このように「つづら棚田」は，農業を通じた関係人口の創出の一助となっている。地域内の耕作従事者が減少しているという点を考えると，今後はオーナー制度自体の運営組織，運営方法自体を見直していくことが必要となるかもしれない。

第3節　ばあちゃんたちの挑戦

1．うきはの宝株式会社と「うきはばあちゃん食堂」の挑戦

うきは市で注目されているソーシャル・ビジネスとして，75歳以上の高齢者の知恵やノウハウを活かした地域活性化に取り組んでいる「うきはの宝株式会社」がある。代表の大熊充氏は，ソーシャルデザイン・グラフィックデザイン・Webデザインなど広告・デザイン業を営む「うきはデザイン」の代表でもあり，また，30軒以上の農家と野菜やフルーツの販売，農園体験に取り組む「うきは農園株式会社」の代表取締役でもある。うきはを離れた都会生活をしていた20代に交通事故に遭い，4年間という長い入院生活を送った経験がある。入院中に知り合った「ばあちゃん」たちと様々な話をして，その知識の広さや生活の知恵の深さ，癒しの力に大きな影響を受けたという。うきはへの帰郷後，ソーシャルデザインについて学びながら延べ4,000人を超える高齢者と直接会話を重ねてきたが，75歳以上の女性の5人に一人は「まだまだ働きたい」と答えたそうだ。また，年金に加え2－3万円の収入があると，孫に何か買ってあげたりするための余裕ができるというリアルなあり方が分かってきた。そうした高齢者の希望の実現を目指して2019年10月に12名の高齢者と若者たちで立ち上げたのが「うきはの宝株式会社（以下，うきはの宝社）である。

うきはの宝社は，ばあちゃんたちが持つ多様な「知財」に注目した。その多くは「潜在知」として個々のばあちゃんたちの中にあり，発酵食品，伝統製法の漬物作り，惣菜，おむすび，編み物など実に多彩である。当初は，日曜日に昼食の提供を行う「ばあちゃん食堂」の開設を目指した。クラウドファンディングによって，賛同者からはあっという間に多くの寄付が集まった。メニューは，ばあちゃんたちの得意とする料理であり，ばあちゃんたちの元気なおしゃべりが独特の演出効果を発揮した。しかし，2020年当初より全国的な感染の広がりを見せた新型コロナウイルス感染は，2020年5月の「ばあちゃん食堂」オー

プン後も治まらず，2022年2月末に閉店せざるを得なくなった。

しかしながら，ばあちゃん食堂のビジネスモデルは，農林水産省主催のビジネスコンテスト「INACOME（イナカム）」で2020年度の最優秀賞を受賞しただけでなく，「福岡県男女共同参画表彰」の「社会における女性の活躍推進部門」で2021年度の表彰を受け注目された。

2．ばあちゃんたちの知財発掘と商品化，マーケティング

コロナ禍の期間中，代わりに力を入れたのは，ばあちゃんたちの知財発掘と商品化，ビジネスモデルのマーケティングであった。なかでも，ばあちゃんたちが得意とする「食」に関する商品化はその中心として進められた。しかし，食に関する知財は潜在知化，つまり，ばあちゃんの頭の中に存在しており，これを誰にでも共有できる記号化された知識（既定知）にすることが商品化や知識の伝承には不可欠となる。ばあちゃんたちは，月に一度の料理教室を開催して共有化を図りながら，自ら商品企画を持ち寄って試作を繰り返して商品化につなげていった。商品化に結び付くのは，10件に一つ程度であったが，複数の食品の試作を並行して行い，様々な用途で調味料として使える「万能まぶし」や「じーばースイーツ・ばあちゃんの作る洋風どら焼き」などのヒット商品が生まれた。こうした食品の数々は，2023年8月以降に食品ブランド「ばあちゃん飯」としてまとめられ，オンライン購入や定期購入もできるように整備されていく予定である。また，「ばあちゃん家の里山体験」のような体験型観光商品も販売されている。筆者のゼミ生たちに体験してもらったが，野菜やキノコの収穫，ピザづくり，木の実を使った工作など，50代から農家民泊を営んできた國武トキ江ばあちゃんのプログラムは実に新鮮で充実している。学生たちにとっては，「ばあちゃんに一日遊んでもらった」というのが正直なところだ。

ばあちゃんたちの活動は，うきはの宝社のホームページだけでなく，YouTubeチャンネル「ユーチュー婆」で紹介されている。食品開発やイベントの様子，「夏の遊び」など特定の話題（頻繁に脱線トーク化する）について，生き生きと楽しそうに活動するばあちゃんたちのリアルな姿が伝えられている。

写真４－２　筆者ゼミ生が参加した「ばあちゃん家の里山体験」

（出所）筆者撮影（2021年12月４日）。

３．おわりに－広がる「ばあちゃんネットワーク」

うきはの宝社から発信される「ばあちゃんネットワーク」は，多様な形で広がりを見せ始めている。まず，遠隔地の高齢者グループとのビジネスモデル共有やサプライチェーンの共有である。そして，「ばあちゃん新聞」という新たなメディアを通じた，情報の共有・拡散である。

ばあちゃんたちが働く飲食店は，残念なことにコロナ禍の長期化によって，事業の継続を断念し，加工食品を中心とした商品開発を販売へと移行したが，ビジネスモデルは日本各地で継承されている。

こうした地域外とのネットワーク化には，代表の大熊氏の活動が欠かせない。大熊氏が関係人口ハブとなり，全国各地で地域活性化やソーシャル・ビジネスに取り組む若者たちと交流しながら，着実に関係人口を創出してネットワーク化している。大熊氏は，ばあちゃんたちのネットワークを「ばあちゃん同盟」と呼んでいる。

ばあちゃんたちの活躍は，2023年11月に創刊される月刊「ばあちゃん新聞」（年間購読5,643円）を新たなプラットフォームとして，より広いネットワークを構築しようとしている。すでに東は埼玉，東京から南は奄美大島まで全国15拠点のばあちゃんたち（じいちゃんもいるらしい）が取材対象者として参画することになっており，創刊時3,000部，２年で10,000部の発行を目指す。購読者は，30－40代の主婦層，企業や店舗，高齢者施設，同世代の高齢者が多く，特に若い主婦層は，ばあちゃんたちがどのように子育てを乗り越えてきたのか先輩主婦としての知恵に興味を持つという[5)]。タブロイド判12ページの紙面には，ばあちゃんたちの人生の歴史，レシピ，ファッション，ヘアスタイル，モーニングルーティン，孫とばあちゃん，全国の支局長たちからの話，暮らしのフォトエッセイ，フットケア，働くばあちゃん，じいちゃん新聞コーナーなど多彩な記事が計画されている。投稿するばあちゃんたちには，都度報酬が支払われることになっており（図４－３），すでに筑邦銀行や創業125年の久留米絣の織元・野村織物がスポンサー企業として支援を打ち出している。

「関係人口」は，このように民間企業や団体，個人ベースの活動でも充分に創出・拡大していく。「ばあちゃん同盟」の今後の広がりが楽しみである。

図４－３　ばあちゃんたちへの報酬の仕組み

（出所）うきはの宝株式会社提供資料。

注

１）老齢人口比率が21％以上の状態。

２）「九州じゃらん」の「みんなが好きな道の駅ランキング」で2023年まで８年連続１位を獲得。2023年８月31日には，米マリオットホテルと積水ハウスが全国の主要道の駅で展開を進めるホテル事業のひとつ「フェアフィールド・バイ・マリオット・福岡うきは」が開業した。

３）2023年（26期）は，１軒のみとなってしまった。

４）2009年からはつづら地区以外の棚田での活動も担うようになり，「棚田を守る会」に改名された。

５）うきはの宝株式会社HP，https://ukihanotakara.com/

参考文献

(1) うきはの宝株式会社HP（最終閲覧日2023年 8 月31日）
https://ukihanotakara.com/
(2) 浮羽まるごと博物館協議会（2015）「棚田を守る会」（浮羽まるごと博物館リーフレット うきはの栞）
(3) 同（2021）『棚田のこれからを考える〜子どもたちへ残そう地域の宝〜』（浮羽まるごと博物館ブックレット 2 ）
(4) うきはテロワールHP（最終閲覧日：2023年 8 月31日）https://ukiha-terroir.jp/
(5) うきは市（2020）「第 2 期うきはルネッサンス戦略」

（前嶋了二）

第5章　福岡県柳川市の地域住民による特産品のPR

本章では，福岡県柳川市の特産品の一つである「福岡有明のり」の認知向上・販売促進を目標に産学連携で取り組んだ「おたのり」プロジェクトを事例に，プロジェクトを通じて得られた問題意識や気づき，販売促進戦略の企画立案までの道のりを詳細に記録したものをマーケティングの視点から分析し，地域の特産品の販売促進における課題や可能性の提示と地域住民による特産品のPRの可能性について考察を行う[1)]。

特産品とは「ある特定の国や地域で産出されたもの」と定義され，農林水産物を加工したもの（加工食品や工芸品など），菓子や総菜などの食品（郷土料理を含む），衣服や玩具，装飾品など，その種類は多岐にわたる。特産が発展する背景には，その地域の気候・風土や，歴史的な経緯，近隣地域との地理条件など，さまざまな要因が関係している[2)]。しかしながら特産品を取り巻く社会環境は常に変化しており，かつては盛んに生産・消費されていたものが時代と共に減少したり，売れなくなったりすることも少なくない。「福岡有明のり」もそのような時代の変化に直面しながら，新たなチャンスを模索し，試行錯誤を続ける特産品の一つである。

第1節　「福岡有明のり」とは

福岡有明海漁業協同組合連合会によると，有明海は福岡県・佐賀県・長崎県・熊本県に囲まれた九州最大の海で，栄養分が豊富でかつては「豊穣の海」と呼ばれ，今も海苔養殖を中心に高い生産力を有している。福岡県有明海では沿岸4市（大川市，柳川市，みやま市，大牟田市）の約540軒の生産者で年間約11億枚，約150億円の水揚げがあり，全国3位の生産額を誇っている。海苔養殖は大きく分けて「浮き流し式養殖」と「支柱式養殖」の2つの養殖方法があるが，福岡有明海では6 mの干満差を利用した「支柱式養殖」で養殖されており，満潮の時は海苔が海に浸かり河川から運ばれてくる豊富な栄養分を海苔が吸収し，干潮の時は空中に出て乾くことを繰り返すように育てることで，旨味成分のアミノ酸を多く含んだ柔らかくて甘みのある海苔が生産される。製品の「福岡有明のり」（乾のり）は市場での高い評価を受けている日本屈指の高級のり産地である[3]。

第2節　分析と課題の整理

はじめに，4P分析の手法を用いて「福岡有明のり」の現状についての理解と課題の洗い出しを行った。

製品（Product）としての特徴に注目すると，「福岡有明のり」は福岡県の農林水産ブランドの一つであり，香り豊かで口溶けもよく舌の上に旨味が広がるのが特徴で，贈答用に用いられる最高級品である[4]。

価格（Price）は手軽な家庭用のものから希少な最高級品まで格付けは様々だが，総じて「福岡有明のり」のブランドに見合った適正価格（高価格帯）での販売を目指しているようである。

海苔の流通（Place）は一般的に贈答用・業務用・家庭用に分類され，近年では業務用が大半を占めている[5]「福岡有明のり」の構成比は公表されていないが，福岡県を代表する特産品の一つとして長年にわたって品質向上とブランド化・高級化に取り組み，贈答市場での存在感を高めてきた。

販売促進（Promotion）については福岡有明海漁業協同組合連合会が中心となって自治体や地域と協力をしながら取り組んでおり，毎年2月に行われる「福岡有明のり感謝祭」や各地で行われるイベント販売では毎年多くの客で賑わう。また，福岡県有明海沿岸4市（大川市，柳川市，みやま市，大牟田市）の中で最も生産量の多い柳川市では，11月と1月に初めて水揚げされる初摘み（一番摘み）の高品質な海苔で作られた商品の中から厳しい審査を通過したものだけに柳川ブランドの認定を行い，「よかばんも〜柳川　柳川ブランド認定品」とブランドロゴが配された金色のシールを貼って販売することで差別化・ブランド化を図っている。

次にSWOT分析の手法を用いて，国産海苔および「福岡有明のり」を取り巻く環境について分析を行った。

表５－１　SWOT分析

内部環境	
Strengths（強み）	Weaknesses（弱み）
・高品質な海苔の提供体制 ・有明海産ブランド	・「福岡有明のり」の認知度 ・「柳川ブランド認定品」の認知度
外部環境	
Opportunities（機会）	Threats（脅威）
・健康志向 ・産地応援 ・食育 ・スマートフォン・SNS利用者の増加	・ごはん離れ ・贈答市場の縮小 ・輸入海苔の増加 ・海の環境変化

（出所）筆者作成。

「福岡有明のり」の圧倒的な強みは，福岡有明海漁業協同組合連合会が中心となり組合員が生産した乾海苔を会員漁協が等級格付け検査を実施した後「福岡有明のり」として全量集荷し，指定商社を対象に入札を行う共同販売事業により，安全・安心で高品質な海苔を提供できる体制が構築されている点である。また，珍しい魚介類や豊富な海の幸に恵まれた豊かな漁場という有明海が持つイメージや，百貨店の贈答品や寿司店，大手コンビニチェーン等で採用され高級海苔の代名詞としてその地位を築き上げてきたブランド力も大きな強みである。

一方で，福岡県外や九州外では「福岡有明のり」の認知度について十分とは言えない。有明海は福岡・佐賀・長崎・熊本の４県が面しており，それぞれが「有明海産」を謳い海苔を含め豊富な魚介類の販売促進に取り組んでいる。中でも海苔の生産量日本一の佐賀県は最高品質の海苔に「佐賀海苔®有明海一番」

の商標を付け戦略的に「有明海＝佐賀」のイメージ作りに努めている[6]。また，「柳川ブランド認定品」の認知度の低さも課題である。令和２年（2020年）に柳川市が行った「まちづくりに関するアンケート調査報告書」[7]によると，「柳川ブランド認定品」の認知度は「あまり知らない」が最も高く，全体の44.3%を占めている。「全く知らない」の15.7%と合わせた割合は60.0%で認知度は低い。

次に「福岡有明のり」を含む海苔全般を取り巻く外部環境について分析を行った。海苔市場を盛り上げる追い風になりそうな機会として，一つ目に健康志向が挙げられる。日本政策金融公庫の「消費者動向調査結果（令和５年１月）」[8]によると，現在の食の３大志向は「健康志向」「経済性志向」「簡便化志向」であり，調理不要でそのまま食べてもよし，おにぎりに巻いたり白米や総菜と一緒に食したり，と日本古来の健康食でありながら使い勝手のよい海苔は現代人の志向に合っていると言える。また，同調査から，「国産志向」の微増傾向とその理由として「国産品を食べて，日本の生産者を応援したいから」「地元のものを食べたいから（地産地消）」と回答した割合が年々増加していることも明らかになった。このような消費者の意識変化も国産・有明産・福岡産を謳う「福岡有明のり」にとってプラスの傾向と捉えることができる。

さらに，平成17年（2005年）に食育基本法が，平成18年（2006年）に食育推進基本計画が制定されたことに伴い，子どもたちが食に関する正しい知識や望ましい食習慣を身に付けることができるよう学校給食や体験学習の授業などを通じた「食育」の取り組みが行われるようになったことも大きい。福岡有明海漁業協同組合連合会では，毎年２月６日の「海苔の日」にその年に収穫された新ノリの焼きのりを市へ寄贈し，市内全小中学校の学校給食で味わってもらったり，毎年海苔の日前後の週末に開催される「福岡有明のり感謝祭」でジャンボ巻き寿司作りや海苔すき体験，○×クイズ，海苔産地当てクイズなどの催し物を通して地域の方々に地元の特産品に親しんでもらう場を提供したり，と楽しみながら地元の特産品である「福岡有明のり」の魅力について学ぶ機会を増やしている。

スマートフォンやSNS利用者の増加も情報発信や情報収集の面で新たな可能性を生み出している。福岡有明海漁業協同組合連合会でも海苔網が一面に広がる有明海を上空から撮影した壮大な動画や海苔養殖の一連の作業を丁寧に説明した見ごたえある動画「福岡有明のりができるまで」をYouTubeで紹介している[9]。

逆に，外部環境の脅威として，一つ目に「ごはん離れ」が挙げられる。農林水産省によると，米の一人当たりの年間消費量は昭和37年度（1962年度）をピークに減少傾向となっており，昭和37年度は一人当たり118ｋｇ消費していたものが，令和２年度（2020年度）にはその半分程度の50.8ｋｇにまで減少している[10]。また，博報堂が1992年から２年ごとに調査をしている「生活定点調査」では，「お米を１日に１度は食べないと気が済まない」と答えた人の割合は年々減少し，1992年の調査開始時は71.4％だったものが2020年には42.8％にまで落ち込んでいる[11]。今後もこのような傾向が続けば，「ごはんのお供」の代表格ともいえる海苔の出番も少なくなることが容易に想像される。

贈答市場の縮小も高級海苔である「福岡有明のり」にとっては不都合な傾向である。矢野経済研究所の調査によると，ライフスタイルの多様化や人付き合いに対する志向の移り変わり，虚礼廃止の風潮が広まるなか中元・歳暮市場規模は年々縮小傾向にある。一方で「誕生日」「母の日」「父の日」といったより近しい間柄で贈られるカジュアルギフトは好調に推移し，コミュニケーション手段としてギフトが利用されるようになっている[12]。

輸入ノリの増加も大きな脅威である。日本経済新聞（2015年12月９日）によると，2015年当時12億枚だった韓国からの輸入量の上限を年1.5億枚ずつ増やし，2025年には27億枚に増やすことで韓国側と合意したという。同紙によると，2015年時点で海苔の国内流通量は90億枚で，うち韓国産が８億枚，中国産は２億枚であった。韓国産は国産より４～５割安く，スーパーで売られている味付け海苔やコンビニエンスストアのおにぎりの材料として流通しているという[13]。かつて韓国旅行の定番土産の一つであった塩味とごま油の風味が特徴的な「韓国海苔」や「海苔フレーク」も最近では近所のスーパーマーケットでも購入できるようになっており，私たちの生活の中に輸入海苔が浸透しつつあることが実感される。

最後に，海の環境変化についても言及しておきたい。朝日新聞（2021年11月30日）によると，気候変動の影響が海藻にも出ており，有明海の一部ではここ数年，栄養塩不足によりノリの色が浅くなる「色落ち」の現象が起きている。ノリの成長には窒素やリンなどの「栄養塩」を豊富に含む海水が必要だが，有明海では足りなくなっている。色が落ちれば商品価値も下がる。海水温もノリの適温より高いという[14)]。海苔の収穫量や品質は，気候変動はもちろん，昨今世界中の海で問題となっているマイクロプラスチックの増加，災害によって海に流れ出た漂流ごみ等によって大きな影響を受ける。海苔は“海の恵み”である以上，海の環境変化は今後懸念される最も大きな脅威とも言える。

第3節　「おたのり」企画立案

分析および議論を重ねた結果，「福岡有明のり」の進むべき方向性として①「福岡有明のり」「柳川ブランド認定品」の認知向上，②産地応援，食育の気運の活用，③ SNSの活用，④新規需要の喚起の4点が挙げられた。また，これらの課題解決のためには柳川市をはじめとする有明海沿岸4市の住民の参加が重要であり，地域を巻き込んだ販売促進戦略の立案が必要であると結論づけた。

海苔を取り巻く様々な環境変化によって苦戦を強いられている「福岡有明のり」の認知向上と販路拡大というリアルな課題を前に学生たちの力だけでは難しいと判断し，地域づくり・地域活性化分野での販売促進サポートで実績のある株式会社昭和堂[15)]へ協力を依頼した。株式会社昭和堂より快諾を頂き，産学連携によるプロジェクトチームが結成された。

プロジェクトチームでの議論および試作を繰り返した結果，市販の焼のり1パック（板のりの半分のサイズが5枚程度入ったもの）を同封し，郵便切手を貼って郵送することができる封筒キットのアイデアに行きついた。そのアイデアをブラッシュアップし，「海苔」と「お便り」を掛け合わせた「おたのり」（画像

1，2，3）というネーミングを付けて福岡有明海漁業協同組合連合会へ販売促進ツールおよび食育教材としての活用を提案したところ，採用の運びとなった。

図5－1　おたのり（表）

（出所）福岡有明海漁業協同組合連合会提供。

図5－2　おたのり（裏）

（出所）福岡有明海漁業協同組合連合会提供。

図5－3　使用イメージ

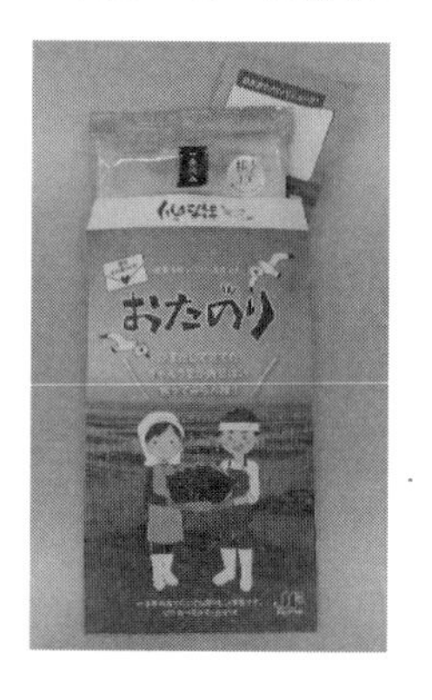

（出所）筆者撮影。

アイデアのブラッシュアップの際に用いたのが，表5－2に示すシュミット（2000）の経験価値マーケティングの分析フレームである。

表5－2　経験価値マーケティングの分析フレームによる分析

【SENSE】（感覚的経験価値）：視覚・聴覚・嗅覚・味覚・触覚の五感を通じた経験	・有明海が感じられるパッケージデザイン（視覚） ・生産者を模したイラストと筑後弁でのメッセージ（視覚） ・市販の焼のり1パックを同封することで，「福岡有明のり」を食べる機会を提供（嗅覚・味覚） ・パッケージ裏面にQRコードを掲載し，YouTube動画へ誘導（視覚）
【FEEL】（情緒的経験価値）：顧客の感情に訴えかける経験	・パッケージへJF（全漁連）ロゴを印刷 ・同封する「一番摘み　福岡有明のり」のパッケージに「柳川ブランド認定品」のシールを貼付
【THINK】（創造的・認知的経験価値）：顧客の知性や好奇心に訴えかける経験	・パッケージ表面に有明海に関する情報や地図を掲載 ・パッケージ裏面に海苔の養殖・製造工程（動画，イラスト）とアレンジレシピを掲載
【ACT】（肉体的経験価値とライフスタイル全般）：新たなライフスタイルなどの発見	・単身や少人数世帯でも負担にならない食べ切りサイズ ・遠方で暮らす人へも手軽に渡すことができる郵送できるパッケージ ・パッケージ裏面に公式ブランドサイト（ネット通販サイト）へのQRコードを掲載

【RELATE】（準拠集団や文化との関連づけ）：特定の文化やグループの一員であるという感覚	・地元の産業や特産品に誇りが持てるようなパッケージで産地応援意識を刺激 ・ワークショップの実施 ・食育教材としての活用

（出所）筆者作成。

はじめに【SENSE】（感覚的経験価値）として，パッケージの背景に一面に海苔の養殖網が広がる有明海の写真を用いることで，有明海の大自然の恵みを受けて美味しく育った海苔であることが感じられるデザインとした。

また，生産者を模したイラストと「がまだして育てたぎゃんうまか海苔ばい　食うてみらんね！！」（一生懸命育てたとても美味しい海苔です。ぜひ食べてみてください！！）という筑後弁でのメッセージを大きく配置することで，生産者が心を込めて育てた自慢の海苔であることを視覚的に伝えるよう工夫した。

さらに，福岡有明海漁業協同組合連合会が市販している「一番摘み　福岡有明のり」１パックを同封し郵送できるパッケージにすることで，送り主（有明海沿岸4市を中心とした福岡県民を想定）から全国津々浦々（受け取る人は，有明海沿岸4市出身でありながら現在は市外で暮らす人，福岡県外で暮らす人を想定）へ美味しい「福岡有明のり」を食べる機会を提供してもらう仕組みとした。

パッケージの裏面には「福岡有明のりができるまで」を動画で見られるYouTubeサイトへ誘導するQRコードを掲載し，懸命に海苔づくりに励む生産者の姿に触れ，雄大な有明海の大自然を楽しんでもらえるようにした。

次に，【FEEL】（情緒的経験価値）として，パッケージ表面にJF（全漁連）ロゴを印刷することで，「国産」「安心」「安全」であることを訴求した。

また，同封する「一番摘み　福岡有明のり」のパッケージに「柳川ブランド認定品」の金色のシールを貼付し，柳川市の特産品として認められた特別な商品であることをアピールした。

【THINK】（創造的・認知的経験価値）の面では，パッケージ表面に有明海に関する情報や地図を掲載したり，パッケージ裏面に地元の人でも意外と知らない「福岡有明のりができるまで」の作業工程を動画やイラストで分かりやすく紹介したり，バニラアイスクリーム＆海苔といったユニークなアレンジレシピを載せることで顧客の知性や好奇心に訴えかける工夫をした。

【ACT】（肉体的経験価値とライフスタイル全般）については，増加する単身世帯や少人数世帯でも負担にならないよう，同梱する海苔を2切5枚（板のり2.5枚）が1パックになった食べ切りサイズとした。

また，遠方で暮らす人にも手軽に渡すことができるよう，切手を貼って郵便ポストへ投函できるデザイン，郵便ポストや家庭の郵便受けに入る厚さ，140円切手で送ることができる重さにこだわった。

さらに，パッケージ裏面に公式ブランドサイト（ネット通販サイト）へのQRコードを掲載することで，同梱された海苔を食べて「おいしい！」と思ったらすぐにネット通販で購入できるようにした。

最後に【RELATE】（準拠集団や文化との関連づけ）については，送り主は地元の産業や特産品に誇りを感じることができ，受け取った人も有明海や「福岡有明のり」に関心や愛着が持てるようなパッケージとなるよう，有明海や「福岡有明のり」の魅力をふんだんに盛り込んだ。

「おたのり」は「一番摘み　福岡有明のり」とセットで福岡有明海漁業協同組合連合会や柳川よかもん館で販売されることとなった。発売を記念して柳川市にある農産物直売所柳川よかもん館で地元の方々を対象としたワークショップを開催した際には，多くの方々が地元の自慢の逸品を同封した「おたのり」に手書きのメッセージを添えて全国へと発送するイベントを楽しんだ。今後も各地でのイベントや市内の小中学校等でのワークショップの場で販売促進ツールや食育教材としても活用される予定である。

第４節　まとめ

本章の目的は社会環境や消費者ニーズの変化に直面し，新たなPR方法を模索する「福岡有明のり」を応援すべく産学連携で取り組んだプロジェクトの一連の活動をマーケティングの視点から分析・考察し，地域の特産品の販売促進における可能性や課題を導き出すことであった。調査・分析の末に辿り着いた解決策は，高品質で知られる「福岡有明のり」の魅力を最大限に活かすために，海苔そのものに手を加えるのではなく，パッケージや販売促進の点において“思わず手に取りたくなる，人に話したくなる”ための仕掛けをふんだんに施し，コミュニケーションギフトや食育教材としての新たな需要を喚起することであった。「おたのり」は学生ならではのユニークな視点から生まれた新たな販売促進手法として評価され，福岡有明海漁業協同組合連合会が採用してくださった。ワークショップでは多くの地元の方々が楽しみながらメッセージを書いて，ふるさとの自慢の逸品「福岡有明のり」を全国津々浦々へと送ってくださった。受け取った方の多くはその風変りなお便りと地元民からの心のこもった手書きメッセージ，同封された高品質な海苔の味に感銘を受け，「福岡有明のり」が心に刻まれたことだろう。認知向上や販売促進，新市場開拓は容易なことではないが，地元の産業や特産品に関心や誇りを抱き，厳しい状況にあえぐ地元企業や商品を応援したいと心の中で願っている住民は少なくないはずである。このような時だからこそ，地域を巻き込みながら，楽しく，前向きに販売促進に取り組むチャンスであると筆者は考える。

今後の課題は，このような取り組みを単発で終わらせるのではなく，いかに地域を巻き込みながら継続していくかである。そのためには，新年（12，１月），成人式（１月），海苔の日（２月），新年度（３，４月），母の日（５月），父の日（６月），ふみの日（７月），夏休み（８月），敬老の日（９月）…と様々な理由をつけて地元住民から離れて暮らす家族や友人に地元の特産品にメッセージを添えて送る機会を提供し続ける必要がある。また，地元住民だけでなく，観光で訪れた人たちが記念に購入・郵送してくれるよう，市内の観光スポットや観光案内所，駅，郵便局等と連携することができれば，「福岡有明のり」のなお一層の認知向上・販売促進に貢献してくれるに違いない。

謝辞

本プロジェクトは，福岡有明海漁業協同組合連合会および株式会社昭和堂BizQuestの多大なる理解と支援のもとに実現されました。関係者の皆様に心より感謝申し上げます。

注　いずれも2023年８月23日に確認

1）本稿は2022年３月に筆者が発表した論文「地域を巻き込む特産品の販売促進－『おたのり』の事例から－」をもとに，経年によって変化した社会環境や消費者ニーズに関する調査データを見直し，新たな分析を加えて書き改めたものである。
2）一般社団法人日本観光文化協会が運営する全国観光特産士会のホームページ「特産品と名産品の違い」（https://jtmm.jp/）を参照。
3）福岡有明海漁業協同組合連合会のホームページ「福岡有明海の魅力」，「福岡有明海の産業」（https://fukuoka-ariake.com/）を参照。
4）福岡県庁のホームページ「福岡県の農林水産ブランドを紹介」（https://www.pref.fukuoka.lg.jp/contents/gaiyou-brand.htmlを参照。
5）一般財団法人海苔増殖振興会のホームページ「海苔流通消費の現状」（https://nori.or.jp/work/static_store.html）および全国海苔貝類漁業協同組合連合会のホームページ「ノリ業界の現況－平成20年度の動向—」（www.zennori.or.jp/chisiki2.html）を参照。データとしては古いが，公表されている最新のものである。本文で述べているように贈答や米食が減少するに伴い，現在ではさらに贈答用・家庭用の割合は減少していることが予測される。
6）新うまい佐賀のりづくり運動推進本部ホームページ「佐賀海苔®有明海一番とは」（https://gochiso-saga.com/saganori/about.html）を参照。
7）柳川市ホームページ「まちづくりに関するアンケート調査報告書～第２次柳川市総合計画事業検証のための市民意識調査～（令和２年12月）」（https://www.city.yanagawa.fukuoka.jp/library/download/08shiseijoho/kikaku/2021houkokusyozenpen.pdf）を参照。
8）日本政策金融公庫「消費者動向調査結果（令和５年１月）」（https://www.jfc.go.jp/n/findings/pdf/topics_230315a.pdf）を参照。

9）YouTube動画「福岡有明のりができるまで」（https://www.youtube.com/watch?v=itJY7xNbWow）を参照。

10）農林水産省ホームページ「米の1人当たりの消費量はどのくらいですか。」（https://www.maff.go.jp/j/heya/sodan/1808/01.html）を参照。

11）博報堂ホームページ「生活定点調査，No.322 あなたの食生活にあてはまるものを教えてください」（https://seikatsusoken.jp/teiten/answer/322.html）を参照。

12）矢野経済研究所のホームページ「ギフト市場に関する調査を実施」（プレスリリースNo.2637，2021/01/27）」（https://www.yano.co.jp/press-release/show/press_id/2637）を参照。

13）日本経済新聞オンライン（2015年12月9日）「韓国からノリ輸入枠を拡大　25年に27億枚へ」（https://www.nikkei.com/article/DGXLASFS09H5E_Z01C15A2EE8000/）を参照。

14）朝日新聞福岡版（2021年11月30日）「気候危機の足元で　海の異変『適応』する漁師」を参照。

15）株式会社昭和堂ホームページ（https://www.showado.co.jp）を参照。

参考文献

(1) 手嶋恵美「地域を巻き込む特産品の販売促進－『おたのり』の事例から－」『流通科学研究』VOL.21，NO. 2，2022年3月，pp.21-30。

(2) バーンド・H・シュミット，嶋村和江・広瀬盛一訳，『経験価値マーケティング』，ダイヤモンド社，2000年，pp.92-98.

(3) 柳川市有明海ツーリズム研究会（2020）『これが柳川のおいしい海苔』

（手嶋恵美）

第6章 「イカの町呼子」の地域ブランド戦略
－佐賀県唐津市呼子町を事例として－

本章では佐賀県唐津市呼子町におけるイカをテーマとした地域ブランド化の取り組みを概観する。まず地勢や観光産業の歴史，そして「イカ」という地域の水産資源をブランド化してきた取り組みを「イカの活き造り」と「朝市」という観光商品にフォーカスし検証する。更に地元の事業者や地域住民が，ブランド化にどのように取り組んできたのかを探る。次に行政と民間事業者の連携を分析し，新たに胎動してきたNPOや任意団体が長期化する不況の中で地域遺伝子にこだわり，長期的に活動してきた経緯と「呼子」という地域ブランドが将来も持続的に発展を遂げていくための課題を探る。

第1節 呼子町の概要

1．地域の概要

呼子町は佐賀県の西北部，東松浦半島にある。北緯33度20分，東経129度53分に位置し，面積27.69平方キロ，人口3,824人で佐賀県最小の町である（令和5年10月現在。唐津市統計情報より）。呼子町の人口は合併した平成17年に比べ，11年間で約2,000名減少している。

平成17年1月，唐津市と合併し「唐津市呼子町」となった。唐津市は面積424.53平方キロ，人口115,735人（平成28年12月現在。唐津市統計情報より）で佐賀県最大の市となっている。しかし現在，人口は減少傾向にあり，佐賀県の予想では，2040年には，人口は約20％減，2060年には更に40％，減少すると予想されている。

呼子は古来より，内海航路の避難港として栄えてきた港町である。歴史上，江戸時代から昭和初期にかけて日本有数の捕鯨基地として知られた。江戸時代

図6－1　呼子周辺地図

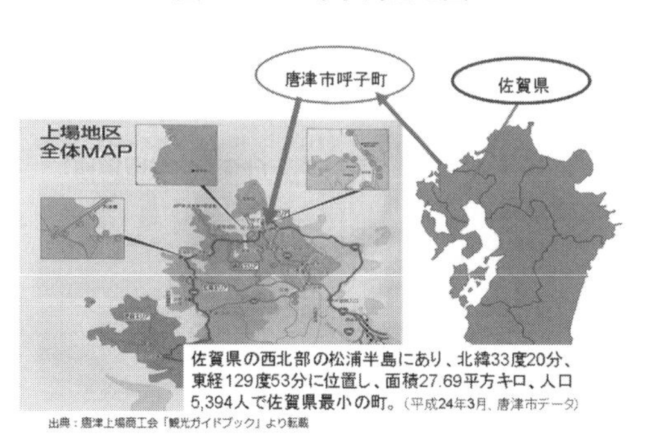

（出所）唐津上場商工会「観光ガイドブック」より転載。

の長者番付に「呼子嶋中尾甚六」が関脇に記載[1]されるなど大きな繁栄をもたらし，呼子は鯨とともに長い歴史を生きてきた。しかし昭和初期には捕鯨産業も衰退し，その他に目立った産業のなかった呼子の経済活動は昭和45年頃で捕鯨産業は終焉を迎えた。しかし玄界灘の避難港としての地勢と歴史を生かし，古来より壱岐，対馬などとの海運の拠点として栄えた。そして時代とともに「鯛の活き盛り」や「イカの活き造り」という観光商品の開発に取り組みながら，北部九州を代表する観光地として一定の繁栄を維持してきた町である。平成に入り，イカをメインとした地域ブランド構築に成功し，年間100万人の観光客の集客を実現し，福岡都市圏はもちろん，全国から「イカのまち」として注目を浴び，今も多くの観光客が訪れている。

2．イカの活き造り

昭和45年，福岡中洲の「料亭河太郎」が呼子でイカの活き造り料理店を開業し，福岡方面からの集客が増加した。これは同社が福岡の繁華街中洲の本店で，呼子から仕入れたイカを生きたまま提供し好評を得たので，仕入先である呼子でも開店することにより，更に鮮度の高いイカを確保することを主な目的として多角化を目指したものである。ガラスのような透明感と，皿に盛り付けられてもまだ動いているイカの鮮度が顧客の感動を呼び，福岡をはじめとする都市圏顧客の口コミにより，福岡の観光客や大阪，東京からの社用族を中心に拡大した。しかし，呼子のイカの活き造りが呼子の観光商品として拡大し定着した主な要因として，イカ料理専門店の集積の実現によるところが大きい。要因としては以下の3点である。

①「解放性」：町外からの同業者の進出を阻害しなかった。

②「連帯性」：イカを生簀で長時間活かし続ける技術と透明感を保ったまま調理する技術を共有した。

③「拡張性」：イカの仕入先を地元の漁師に限定せず，広く近隣の漁場から呼子まで納めに来る漁師まで拡大した。

①「解放性」：町外からの新規参入業者の参入を阻害しなかったことにより，緊張感のある競合が生まれ，業者は競って集客に努めた。そして業者は，それぞれ福岡方面へのプロモーションに取り組んだ。更に，より多くの客席を確保するため，続々と店舗を改築・新設し，団体客の集客のため旅行代理店への営業に努めるなど，より多くの顧客を受け入れることができるキャパシティが整備された。

②「連帯性」：イカの調理法や保存法なども特定の店でその技術を独占しなかったので，それぞれの店は，顧客の期待を裏切らない「イカの活き造りの品質」を一定のレベルで確保した。その結果，料理に対する顧客の期待を裏切るような飲食店はほとんど発生しなかった。

③「拡張性」：呼子以外に山口や福岡，長崎の平戸や五島列島などからのイカ釣り漁船からも積極的にイカを仕入れ，シケなどで流動性の高いイカの仕入れ量の安定確保を目指した。その結果，「イカ」の絶対量を確保することにより，ビジネスの機会ロスを極小化することに成功したのである。

「イカを食べるなら呼子」という口コミの拡散や，グルメ志向の拡大により様々なメディアに取り上げられたことによる情報の拡大に誘発され，一気に増加した観光客の機会ロスを極小化したことが「イカの活き造り」が呼子のブランドとして定着した大きな要因として考えられる。

3．呼子朝市

呼子の朝市は鯨の触れ売り（行商）を起源とし，地域住民の生活基盤を支え，大正以来，約100年に及ぶ長い歴史を持つ全国3大朝市[2)]の一つである。その特徴として以下の3点があげられる。

①「恒常性」：元日以外，年間364日営業している。
②「協働性」：商店街の店舗と商店街の中の路面を共用する。
③「緊密性」：漁業者の家族が直接出店し，顧客と対面販売する。

①「恒常性」：毎日出店しているという朝市の恒常性により，朝市業者は年間を通じて，安定的な現金収入を得ることが可能となり，消費者は毎日の食材を賄うことができた。さらに観光客も地域特産品と合わせ，正月やお盆の季節的な商品まで地域性に富む多彩な商品を購入することができる。少々の雨の日でも，大きな傘を準備して出店しお客様を待つ，朝市業者の積極的な意欲が，次第に安定した集客を実現した。イカの活き造りをメイン商品としてツアー客を送り込む旅行代理店にとっても，天候に左右されず「いつも存在する朝市」は大きな集客要素となった。

②「協働性」：商店街との協働性により商店も地元消費者や観光客の集客に加え，店の前に出店する朝市業者自身が商店街のロイヤルティの高い優良顧客となり，この緊密性が商店街の一定の売上確保と町を挙げてのイベントなどにおいて，強固な連携を実現している。

③「緊密性」：更に顧客との緊密性は朝市業者と顧客の密度の高いコミュニケーションにより構築されている。朝市業者は方言で積極的な声掛けをおこない，単なる商品と対価の交換という無機的な購買活動に，笑顔と会話という情緒的な付加価値を与えている。なじみになった県外の顧客の多くは電話一本で，特定の朝市業者から定期的に宅急便を利用して商品を継続購入するというロイ

ヤルティの高い顧客を獲得している朝市業者も多く存在している。その結果，家族の生計を支え，家を数軒立ててしまった「つわ者」も複数存在しており，結果として「法人成り」した業者も多数存在している。

4．観光客の推移

人口5千人程度の呼子には，ほぼ年間100万人の観光客が訪れている。ピークは平成10年で，年間116.8万人[3)]に上った。また，この数字には釣り客は含まれておらず，町営駐車場の利用客と旅館，イカ料理店の利用客の数字を実際にカウントした数字である。実数は役場担当者によると更に数十万人を加えても多くはない模様である。佐賀県で一番狭い町であり，福岡からは当時，片道約2.5時間以上の時間を要する距離でありながら，人口比200倍以上の集客を長期間にわたり実現してきたことは特筆するに価する。

しかし平成不況といわれる昨今，図6－2の通り，呼子の観光客数は100万人を割り込み始めており，イカの活き造り，朝市に続く新しい機軸を打ち出さねばならない時期を迎えている。中村学園大学流通科学部の片山教授は，平成

図6－2　呼子町観光客入込客と朝市通り通行量の推移

（単位：千人）

年度	2004	2005	2006	2007	2008	2009	2010	2011	2012	2013	2014	2015
総入込客数	1,092	1,055	1,020	998	851	864	874	961	981	972	922	1,012
朝市通り通行量			868	629	632	529	338	358	507			

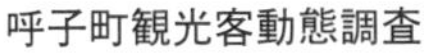

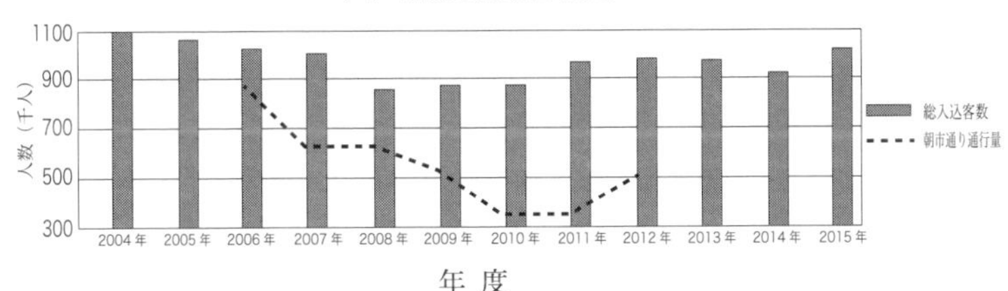

（出所）唐津市呼子町観光客動態調査データならびに中村学園大学片山ゼミ朝市通行量調査データより筆者作成。

14年より平成24年度にかけ，商工会との産学連携事業で朝市の観光客，地元住民，朝市事業者のアンケートを行い，再活性化戦略の提言を行った。そして継続的に呼子を観察するとともに，朝市通り観光客の通行量調査を行い，呼子はPLC（プロダクト・ライフ・サイクル）が論じる「衰退期」に差し掛かっていることを指摘している。その傾向は，図６－２に示したが，呼子町全体の観光客数の減少より，朝市通り通行量の減少が大きい。その原因として，朝市出店業者の高齢化による業者数の減少と，朝市自体の魅力が低下していることを指摘している。加えて呼子にとって最大のターゲット市場である福岡市内は，九州新幹線全面開業により博多・天神地区の集客競争が激化し，呼子町をはじめ，周辺地域への波及効果は薄い。この状況のなか，行政はじめ観光協会や商工会も，平成14年から継続的にイベントや情報発信に力を注ぎ，朝市通りに休憩所兼情報発信施設を設けるなど努力を続けているが，長引く不況に伴う経済環境の悪化もあり一定の歯止め効果はあるにしても減少傾向に歯止めをかけきれていない。

第２節　呼子の観光マーケティングとイノベーション

１．行政と観光事業者の連携で取り組んだマーケティング活動

ドラッカーによりマーケティングが顧客を創造し維持するという側面で，イノベーションと並ぶ機能として定義[4)]されるまで，マーケティングが単に広告，販促活動として捉えられていたのはつい最近のことである。特に地方の企業などでは，いまだに単なる販促活動として捉えられている状況があることも否定できない。呼子においてもマーケティング活動が，リサーチ，STP，マーケティング・ミックスという流れで，体系的に取り組まれていたわけではない。しかしながら，福岡を中心とした都市圏の顧客に，呼子のイカを中心とした活き造りやイカシュウマイ，イカの一夜干しなどの海産物を，TV やパブリシティの取材を活用して，広く情報発信するというドメイン（生存領域）が自然に明確化され，町を挙げて取り組まれていた。（図６－３参照）

図6－3 「イカの活き造り」のドメイン

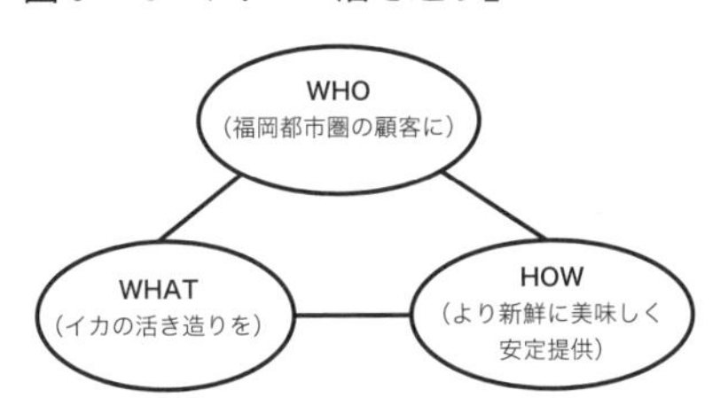

(出所) 片山 (2009), p.28 より筆者加筆修正。

この点が狭小な地形の中で，決して豊かとはいえない地域資源を最大限に活用し，北部九州でも有数の観光地として集客を継続してきた要因といえる。そして，このドメインの明確化が，観光地としての呼子の特徴である。積極的な投資で商業，観光施設の集積を果たしていく民間事業者の動きに呼応し，役場，観光協会や商工会などはサポートに徹し，効率的な補助事業に取り組んできた。観光協会はイベント開催などに，また飲食業組合は食品安全確保の啓蒙と料理技術の共有促進，更に商工会は全国朝市サミットの開催と朝市の顧客満足度調査を福岡市の中村学園大学との連携事業として取り組み，これらを全面的に支援した町行政当局とともに，連携を取りながら取り組んできた。これらのイベントや補助事業により，地元住民の理解・協力を獲得し，効果を挙げてきたことは，町が小さいという弱みが，かえって緊密なコミュニケーションが可能になり，「強み」になったと考えられる。

2．呼子におけるマーケティング戦略の概要

呼子が取り組んできたマーケティング戦略を概観するに当たり，SWOT分析，STP，マーケティング・ミックスという流れに沿って整理を試みる。

1）SWOT 分析：呼子の内部環境と外部環境をそれぞれ強みと弱みについて抽出し，戦略の方向性は呼子の強みを生かし，市場の機会を効果的，効率的に捉えるものとする。

2）STP：ターゲット顧客を絞り，市場を細分化し，呼子が他の競合地に対

して，どのような立ち位置を取ったかを見る。

3）マーケティング・ミックス：4P を用い特徴を簡単に整理する。

(1) SWOT 分析例

表6－1

呼子観光 SWOT 分析例	外部環境分析	
	機会（Opportunities）	脅威（Threats）
	●癒しやふれあいを求める観光客の増加 ●グルメに関する関心の高まり ●手・近・短のニーズ ●食の安全・安心志向	●福岡への一極集中加速 ●不況の長期化 ●低価格志向加速 ●地域ブランド創出の取り組み
自社分析 強み（Strength）	積極的姿勢	差別化戦略
	自社の強みで取り込める事業機会の創出	自社の強みで脅威を回避または事業機会の創出
●イカの活き造り料理店集積 ●朝市の存在 ●捕鯨などの歴史 ●美しい海など豊かな自然 ●歴史的遺跡と町並み ●地元住民とのふれあい ●知名度が高い ●イベントが多い	■イカ料理と朝市との連携を図り，より安心・安全のメニューを開発し，知名度を生かした新たなプロモーションにより，全国に向け情報を発信し集客を拡大する。	■競合他社より低価格の新商品を開発し，地元住民との対話の場を設置し，知名度を生かしたプロモーションで，福岡以外の近隣都市圏へ情報発信を行う。
弱み（Weakness）	段階的施策	専守防衛または撤退
	自社の弱みで事業機会を逃さない対策	自社の弱みと脅威で最悪の事態を招かない対策
●アクセスの課題 ●料理店の多様性不足 ●観光客が減少傾向 ●価格が高め ●イカに続く素材の開発遅れ	■イカ料理店以外の新しい店舗を設置し，現状の固定客中心に，新たな商品・サービスを提供し，客単価の増加を図る。	■経費削減，投資抑制，新事業への転換や撤退時期などを研究

（出所）片山（2007），p.20 より筆者加筆修正。

※上記表6－1のSWOT分析は，自社商品やサービスの環境分析に有効な方法で，自社商品などの内部要因と自社を取り巻く環境について，自由に極力多くの意見を抽出・整理する。そして戦略の方向性を検討する際には，外部環境の機会に自社の強みを生かしていく戦略を考えるのが基本的な方向性である。

(2) STP

①市場のセグメンテーション（市場細分化）：グルメ志向で，時間と空間に非日常性を求める顧客層を設定し，そして自然志向であり，より話題性があるトレンド・テーマの実体験を求める観光市場に定めた。

②ターゲット顧客の設定（標的市場の設定）：生きたイカの透明感や甘さに関する情報を口コミやTV番組，グルメ雑誌，インターネットなどで積極的に発信し，情報収集力の高いカップルやグループに情報発信する。そして呼子ま

で片道1.5時間程度（2001年10月西九州高速道路と福岡都市高速道路の接続により所要時間が短縮された）の時間やコストをかけてでも，イカの活き造りを食べたいと考える福岡方面の顧客層に絞った。

③ポジショニング（自社や商品・サービスの立ち位置）：呼子独特のイカの活き造りで，他の観光地との差別化をはかり，都市圏から離れて，日常では味わえない料理を機会ロス無く提供する。又，朝市での素朴な地元住民とのふれあいにより，親近感を持ってもらう他の成功例の模倣ではなく，独自の地域資源を最大に生かすポジションをとった。

(3) マーケティング・ミックス（マーケティング戦略）

①プロダクト戦略：（差別的，先進的戦略）

イカの活き造り，地元住民による朝市，いかシュウマイ，海底の景色が楽しめる半潜水型遊覧船「ジーラ」や七ツ釜遊覧船「いか丸」，呼子大橋など近隣にはない呼子の独自性を高めた。

②プライス戦略：（均一的価格戦略）

イカの活き造り3,000円程度，朝市での干物類の単価500円という均一価格というわかりやすく，比較的安価な価格帯を設定した。

③プレイス（チャネル）戦略：（集中戦略）

イカ料理専門店14 軒の集積，毎日開催される朝市，イカの仕入れ値保証による仕入れ量を確保することで機会ロスの極小化を実現した。

④プロモーション戦略：（メディア中心戦略）

TV，パブリシティ取材へ積極的に協力し，反復的にマスコミを誘致し，情報発信するため取材の拡大をはかる。イカ料理店のCMも自社の商品のみならず，観光呼子の地域情報もあわせて発信する。

3．イノベーションの共有がもたらしたイカ料理店の集積

呼子には14軒のイカ料理専門店が存在する。特に客席数100を超える店が8軒あり，それぞれに集客を競っている。イベントや事業開催時の協力体制も緊

密である。そして呼子には特筆すべきカリスマ的リーダーが存在するわけではないが，その一体感はいまだに薄らいでいない。この要因として観光協会や飲食業組合，旅館組合など観光事業者組織の連携が大きな効果をあげてきたと考えられる。イカの活き造りに不可欠な，天然の海水を取り込み循環させる生簀や，透明な鮮度を保つ素早い調理技術というイノベーションと，組合を通じたイカの安定確保，繁忙時にイカを店舗間で融通する連携体制の確立など，この共有と連携は企業間の競争を超え，店舗間の製品クォリティの均質化と観光客の機会ロスを極力少なくすることを可能にした。これも狭小な地域に同業者が集積していることと，観光客の増加傾向が顕著になった時期に，地域外からの新規参入業者を排除しなかったことなど，地域内のコミュニケーション密度が高い故である。競合する業者を排除し，独占により顧客を囲い込むことより，多くの顧客に地域一体となって，美味しいイカを食べて感動してもらいリピーターとなってもらうほうが，より重要だと直感的に捉えられていた。この徹底が「点」での集客より「面」の集客を実現し，売り上げの最大化を目指し，成功したのである。

4．マーケティングとイノベーションを共有した呼子のリーダー達

顧客の創造と維持には，顧客志向のマーケティング戦略と継続的なイノベーションが不可欠であることは，広く認知されている。しかしそれが小さな町で長期間継続的に実行されてきた例はあまり多くはない。

この消費不況下においても多数の顧客を獲得し，国内から世界へ市場を拡大している優良企業は，我が国においても数多く見受けられる。しかし，地方で一定の地域活性化を実現してきた例はいまだに少数である。九州における成功例として湯布院や黒川などの温泉地は，温泉という独特で優良な地域資源を持ち，知名度と実績を基に再構築した例である。また，マスコミを利用したＢ級グルメの開発の例も多いが，単に成功した先進地を模倣し商品開発を急ぐと，地元の確固たる支持を得ていない場合は一過性に終わる可能性が高くなるのが通例である。

呼子のように海の恵みのほかには何もなく，人口4,600人程度しかない町で，地域活性化を実現することは大変困難である。そのような地域では，地域一丸となって地域資源を発掘し，ドメイン（生存領域）を定め，ビジョンを共有し，マーケティングとイノベーションの両輪を効果的に回し，継続的に実行することが重要である。そしてその取り組みは長期的な活動であり，その実行を担うのは「ヒト」である。地域資源は地元住民により発掘され，大きな支持を受けることにより，地域独自の観光商品へ成長する。

呼子のリーダー達は飲食店や旅館業を営む経営者達である。彼らは内向的な志向に陥ることなく，また交通インフラの不利にめげることなく[5]，積極的にプロモーションを行い，競ってイカの鮮度を追求した。そして積極的な投資で施設整備を行い，イカの量的確保やイベントへの参加も全面的に協力してきた。特に平成14年に開催した「第8回全国朝市サミット」において，会場設営から料理，配膳，パフォーマンス，撤収に至るまで，ほとんどを自分達で取り組み実行した。安易に外部委託することなく，一方で地域住民や近隣市町村にも参加を呼びかけ，文字通り「手作りサミット」に徹して成し遂げた。筆者自身，商工会勤務時代に，その企画と実行に関わりながら経営者達の底力と意気を痛感した。そして何より特徴的であったのは，集団での意思決定のスピードと的確性にあった。このスピードと的確性を実現した要因は，行政に頼ることなく，自らの責任で方向を定め，同業者との「良き競合」の中で，急増する顧客の機会ロスをなくすために，スピード感を持ちながら投資を進めてきた経験と実績によるところが大きいと考える。

5．行政と事業者の連携

呼子の観光振興における行政と民間事業者の関係における特色は，民間が主体となり，行政がサポートを行うという関係にある。一般的に地域活性化の取り組みは，国や県の補助事業のメニューに沿って，まず補助金の獲得を大きな目的として取り組まれることが多い。そして地域内部のコンセンサスを十分に得ないまま，行政主導で実行に移されてしまう。その結果，一部の事業者が行政の作成した計画をそのまま十分な理解と意欲も湧かないまま取り組むことになりがちである。したがって，地域の中で上滑りしてしまい，1年から 3 年程度の短期的・試験的な取り組みに終わり，そのまま消滅してしまう例が多い。その例として，同じ佐賀県内の「玄海町のハーブ栽培」プロジェクトが特徴的である。

一方，成功した例を見ると，民間の危機意識の高まりを基盤として，まず事業に取り組む少数の民間の動きの拡大から，行政がその将来性を見極め，足りない部分をサポートし，更なる定着と拡大を目指した。それが大きな地域循環を生み出し，「地域ブランド」の構築を実現した例が多い。その代表的な例として，大分県の「関さば」のブランド化の例がある。

その地域ブランドの価値が口コミによって広がり，マスコミやパブリシティの注目を集め，観光客が集まり，同時に地域において産業化し，雇用を生み，更に「ヒト，モノ，カネ，情報」の拡大と循環がうまれ，地域活性化が実現するものと考えられる。昨今の「B級グルメ」を活かした，地域活性化の取り組みにその例が多い。しかし平成の大合併により，全国の地域や行政の枠組みが大きく変わってしまった。平成17年の「大合併」から10年以上経過し，合併時の「地域のエゴ」や「地域間の相互不信」などは薄らいできたと思われるが，果たして，目的を共有し新たな協働が実現される体制にまで成熟してきたのか，まだ疑問を持たざるを得ない。合併後，その地域内において，新たな空洞化が顕在化している例も見受けられ，改めて地域ビジョンの再検証と再構築に取り組み，合併後の地域活性化に地域内で緊密な協働体制を構築できるかが，今後の地域の生き残りを左右すると思われる。

6．顧客接点としての効果を上げる「呼子朝市」

呼子朝市の特徴は元日を除き年間364日営業している「生活朝市」という側面と，観光商品販売の場としての「観光朝市」という両面性を持ち，更に「商店街との共生」というポイントが独特である。午前 7 時半から12時まで車両の進入を禁止し，商店街の店舗の前の路面で営業している。また出店者は地元周辺の漁業者や農家の主婦が中心であり，道路使用許可申請を当初の目的として発足した朝市組合も，代表者は事業者である。主な商品はイカの一夜干しやアジのミリン干しを中心とした干物類で，季節に応じた鮮魚，農産物，漬物など多彩な地元の産品が販売される。呼子朝市はすべての業者が自ら出店し，顧客と会話しながら販売している。朝市には方言丸出しで観光客に呼びかける「おばちゃんたち」の賑やかな声と笑顔が溢れている。朝市顧客満足度調査でも，朝市のおばちゃんたちとの会話と，おまけとして「量」をサービスしてくれることを楽しみとする意見が多い[6)]。決して多様性に満ちた品揃えや，商品の独自性，圧倒的な低価格があるわけではない。朝市には観光客と業者との「笑顔あふれる会話」でもたらされる緊密なコミュニケーションが存在する。

観光地の魅力としては，単に商品やサービスやエンタテイメントのほかに，地元の人々とのふれあいを上げる意見が多数ある。しかし，それを実現している観光地は多くはない。各地に出現している道の駅や物産販売所では新鮮な商品を販売しているが，繁盛しているのはほとんど大規模な商業施設で，業態はスーパーマーケット化している。商品の魅力は高く価格も割安なため，好調な売上げを実現している施設も多い。しかし，そこには生産者の顔は見えず，地域の特徴ある空気感を直接体験できる施設は少ない。あくまで商品と，商品を通じての「地域のイメージ」があるだけである。商品の鮮度と品揃えだけでは，その施設の近隣に更に充実した施設が出現すれば，顧客は簡単にその選択肢を変えると思われる。商品だけの優位性では，簡単に顧客を失う可能性が潜んでいる。

消費者の満足を向上させ，地域への愛着を育んでいくには，実体験による感動や親しみが最大の力を発揮する。その実体験には地域の人々の存在と関与が欠かせない。会話やふれあいによるコミュニケーションの「良き体験」が地域への親しみと愛着を生み，リピートする理由となる。

呼子朝市を訪れる観光客の大部分は午前中に朝市のおばちゃんたちとの会話を通じて商品を購入し，大部分は昼食にイカの活き造りを食べて帰る割合が圧倒的に高い。ここに観光のきっかけとしての朝市での会話が存在する。この点が朝市における顧客接点の緊密化を実現し，リピーターの増加や，ネット情報の拡大，パブリシティ取材の拡大という効果を生んでいる。

7．新たなNPOと任意団体の自主的活動

呼子町には「呼子鯨組」というNPOと「日本一！呼子朝市会」という任意団体が存在する。呼子鯨組の構成メンバーは神主，役場 OB，商店主など多彩で，平成17年の活動開始以来，平成23年４月，組屋敷の復元に合わせ，全国捕鯨フォーラムの開催を行った。行政からの援助は受けず，自らの創意，工夫を重ね粘り強い活動を継続し，結果として行政を動かし，中尾家鯨組屋敷跡の復元という成果にこぎつけた活動に心から敬意を表したい。この活動を見るにつけ，呼子の持つ地域遺伝子としての「捕鯨」の大きさ，深さを感じる。住民の意識の中で，「鯨」の存在が如何に大きく，馴染み深いものかがこの活動を支えてきた精神的支柱である。地域の遺伝子は歴史の中にある。その歴史を紐解き，現状打破の方向性を探ることが，地域を挙げての活性化実現に欠かせない。鯨組の活動は当初，町内において一部有志が集い，捕鯨の歴史に関する伝承の発掘や資料の収集から始まった。また中尾家組屋敷跡は，呼子町での最後の造り酒屋となり，酒類販売業でその歴史を閉じたが，その屋敷の歴史的価値に注目し，自主的なコンサートやセミナーなどを開催してきた。小さな実績を積み重ねながら，行政に対し粘り強く保存と復元を働き掛け，行政合併後ようやく実現にこぎつけた。このように住民の強い意志と行動の基盤が存在したので，開館後の維持に関してもボランティアガイドの設立，広報，イベント開催など，継続的な活動に現在も深く関与し続けており，今後の施設活用にも様々な関与が期待される。ここにも行政主導ではなく，民間主導により立ち上がった事業の継続的な優位性が存在する。

また新しい動きとして，「日本一！呼子朝市会」の活動が注目される。呼子朝市会は2014年４月19日付け，日経ＭＪのNIKKEIプラス１の「何でもランキング」での朝市特集で，750ポイントの得票で第１位になった。これを受けて，呼子町松浦町商店街（朝市通り商店街）の若手経営者を中心に，呼子朝市の集

客増と朝市業者の意識改革を目指して取り組んだものである。年間に数回の開催を重ね，2018年3月の開催で16回目を数える。内容は朝市業者からそれぞれの取扱商品をほぼ半値で預かり，オークション形式で「呼子びっくりセリ市」を開催し，一番高い価格をつけた顧客に販売するものである。競り人も運営も，全て地元の商店主などが行い，趣旨に賛同する地元を中心とした有志で運営されている。当然，運営には行政も補助金も受けていない。まさに呼子らしい「自己発生，増殖的」な性格を持つ取り組みである。日経プラスワンでは，「地域の食文化を色濃く残す朝市」という切り口で全国の朝市をランキングした記事をトップで掲載した。選定条件は，新鮮な食材が楽しめる午前中開催の全国の朝市を30箇所選択し，専門家11名の投票によって決定された。タイトルは「朝市ぶらり旅情を誘う」である。九州からは呼子が1位に，そして佐世保朝市が6位に選定されている。2位には輪島，3位に函館，4位に高山の各朝市が選定された。呼子が1位に選定された理由として，「とにかく活気があり，しかも良心的」，「周囲の岸壁に干されたイカが旅情を誘う」というコメントであった。活気と良心的，そして旅情という呼子ならではの特色が評価されたものである。

写真6－1 呼子びっくりセリ市の状況

（出所）2017年5月17日筆者撮影。

第3節　呼子の課題と展望

1．観光客の減少とマーケティング戦略再構築について

前掲の図6－2に示したように，呼子においても観光客数の減少傾向が顕在化している。

呼子観光の再活性化における課題として，次の4点を挙げておきたい。

①観光客滞在時間の拡大
②イカに続く新素材の開発
③インバウンド客への情報発信と受け入れ態勢の構築
④住民による自主的な取り組みの拡大と活性化

①滞在時間の拡大

朝市からイカの活き造りの昼食までという，日帰り型観光が定着したことで，朝市での顧客接点の緊密化が午後には途切れてしまうことが問題である。平成22年度に壱岐へのフェリーが唐津へ移転し，壱岐方面への顧客が減少した。その対策として跡地に新たな物産販売所がオープンしたが，営業時間の半分は従来の朝市と重複しており，顧客の回遊が十分に実現していない。この販売所はスーパー形式で，呼子朝市の強みであるはずの顧客との会話やふれあいがない。しかし一方でこの形式を好む顧客も当然存在するので，従来の朝市との棲み分けを明確にし，営業時間の再検討やイベントなどの連携で朝市顧客の回遊を実現することが重要である。午前中の朝市から午後の直売所へという「明確なルートの明示化」が必要である。また，宿泊施設も一定規模存在し，昭和の雰囲気を残した町並みや近代的で機能的な施設もある。しかし福岡からの距離が往復3時間程度と日帰り圏内になったことや，消費不況の長期化，他の観光地の宿泊費の低価格化の進行などで苦戦を余儀なくされている。ここでも宿泊客とより一層緊密化を実現し，地元住民との会話や歴史を体験するなどの新た

な工夫が求められる。

②イカに続く新素材の開発

現在の「呼子のイカ」に続く，将来の新しい素材としての「ポスト・イカ」については，従来から話題に上っていたがまだ具体化していない。イカの活き造りが福岡市内においてコモディティ化してしまった[7]ので，早急に新たな素材を生み出すイノベーションが必要である。イカが呼子の主役となり得たのは，漁港としての歴史・地勢と，町民にとって馴染み深い素材であったことが大きな要因である。そして将来に向け歴史の再検証に取り組み，町民の多くが支持し，誇れる新たな素材の発掘が必要である。その条件として，需要を満たす定量性や近隣競合地にはない独自性を持ち，福岡から往復3時間の時間的コストを払っても観光客が来てくれる理由となる付加価値を構築し，観光客に明示することが不可欠である。

③インバウンド客への情報発信と受け入れ態勢の構築

日本を訪れるインバウンド客は，2017年に 2,800万人（JINTO の速報値より）を超え，その消費額は3兆4千億円（観光消費額は平成26年度：sankei.bizより）に上っており，観光振興による地域活性化を目指す各地にとって大きな存在となっている。呼子町においても，インバウンド客数の把握が始まっており，その重要性は十分に理解されていると思われる。しかし，呼子のみならず，地方においては観光情報の発信，インバウンド観光客を迎えるプラットフォームの設置に関しては，まだまだ未整備なのが実情である。海外からの観光客の持つ情報の量，質ともに大変高いレベルにあることは，多くの観光地で多くの人々が実感しているものと思われる。地元の人ですら知らない場所やお店を訪ねて，多くの観光客が各地を訪れている現実がある。

呼子においても，観光情報の統合化と情報発信体制の一元的な取り組みはいまだ未整備である。多言語による案内体制も掲示板やパンフレット，並びにSNSの整備もいまだ未着手状態である。急速なインバウンド客の増加が進むなか，現状において最も重要なテーマであり，早急な体制整備が求められている。

④住民による自主的な取り組みの拡大と活性化

平成の大合併により，地方の町村は行政の関与が大幅に縮小している。合併以前は，前述の通り活発な企業活動を側面からサポートし，一定の成果を挙げていた。しかし，近年行政の観光戦略策定と投資は，唐津市の中心部に集中している。特に「唐津くんち」の伝統的文化遺産の指定活動や，唐津を題材にした，有名監督による映画作成など，従来にはなかった観光振興策への取り組みが目立っている。それに伴い，周辺部に当たる旧東松浦郡の４町への観光投資や人材配置はかなりの縮小が強まり偏在化が顕著になっている状況は明白である。せっかく合併により行政組織の効率化，標準化が果たされてきた今こそ，唐津市と旧町村部と再度コンセンサスを確認し，広い視野に基づいた「新しいドメイン」を定めていかねばならないのではないか。このままでは少子高齢化と人口減少による全体の疲弊を食い止めることは困難であろう。観光振興に必要な地域資源の拡大も合併により実現しているので，改めてその利活用が求められる。地域での主体である住民と観光組織，行政との緊密な連携による地域資源の見直し，再発掘により新たな付加価値をどのように作り出し，その情報を誰に，どのようにして発信し観光客の増加と観光消費額の増大を目指していくのかという戦略的な志向と実行が求められている。

2．NPO との連携と新たなリーダーの重要性

重ねて述べることになるが，結論として，呼子の将来に向けて観光事業者による４つの課題解決には主体的な地元住民との協働が欠かせない。しかし，現実には，地方の小規模企業の経営資源と情報スキルには限界があるので，行政の支援をきっかけとして地域のNPOとの連携を模索することが効率的である。NPOは行政と地域住民の境界に存在する。地域の再活性化に協力・連携を求めることは，NPOの事業目的と合致するのではなかろうか？地域住民の知識

と知恵を活用するために，積極的なNPOへのアプローチが効果的である。また，地域ブランド化のプロデュースを実現するためには，新たなリーダーが必要となる。従来であれば役場や観光協会，商工会，漁協，農協などといった経済団体がその役割を担うことが多かったが，合併により人材も予算も時間的配分も縮小してしまった。更に合併後の行政や各団体の動きは，当初の立ち上げ時期のみであっても，特定の地域に偏った動きは地域内の公平性を欠くとして取り組みにくい状況にもある。

以上の課題解決のためには，観光事業者が自ら立ち上がり，地域の新たなリーダー発掘に取り組むことが求められる。具体的な例として考えられるのは，新素材や新商品の開発を目指した地域住民とのワークショップ開催，例えば「鯨」をテーマにした食や宿泊体験モニター，同じく歴史的視点に立った観光ガイドの募集など，民間の商工業者が先導し，NPOとの連携により地域住民を巻き込み，戦略の策定，そして決断・実行することが呼子地域の再活性化の重要なキーとなる。更に言えば，平成14年度に取り組まれた，福岡都市圏の大学との連携事業により，地域住民の意識活性化を再構築することも効果的であることは，過去の経験則として再認識してもらいたい。その試行錯誤から新たなリーダー達の発掘を成し遂げ，更にインバウンド客も明確に視野に入れた顧客満足志向マーケティング戦略の取り組みへ再構築し，更に進化させていくことが，呼子の地域活性化と将来への永続性を実現するキーとなる。

注

1）捕鯨王国「呼子」：呼子鯨組「大日本持○長者鑑」江戸時代資料より。「○」は判読不能のため○と記載。

2）「芸術新潮」1987年6月号で「日本に残したい4大朝市」の三番目に取り上げられたことを根拠としている。（輪島，高山，呼子，越前大野）

3）唐津市呼子町による観光動態調査資料より：平成 27年12月まで。

4）Peter.F.Drucker，上田淳生訳（1999）『現代の経営』ダイヤモンド社 p.49。

5）平成16年，博多駅交通センターと呼子間に直通高速バスを誘致しアクセス改善を目指した。しかし現在，本路線は唐津市内までとなっている。

6）2002 年度中村学園大学による朝市育成ビジョン作成事業アンケート結果より。

7）近年，活魚輸送の技術向上により，福岡市内でも「呼子のイカ」を取り扱う店舗が増加し，価格も1000 円程度からと低価格化が進行している。小型のイカではあるが，現実に呼子の活魚業者が毎日陸送しており，今や呼子でなければ食べられない料理ではなくなってきている。

参考文献

(1) 石井淳蔵（2010）『マーケティングを学ぶ』ちくま書房。

(2) 神品光弘，片山富弘，土橋治子（2002）『呼子町朝市育成ビジョン作成事業報告書』中村学園大学流通科学部。

(3) 片山富弘（2009）『顧客満足対応のマーケティング戦略』五絃舎。

(4) 片山富弘（2009）『ドメインの新地平」『中村学園大学流通科学研究』Vol.9。

(5) 片山富弘監修（2007）『九州観光マスター検定１級公式テキスト』福岡商工会議所。

(6) 近藤隆雄（1999）『サービス・マーケティング』生産性出版。

(7) 野村祐三（2006）『呼子のイカはなぜ美味い？』幻冬舎。

(8) 船井幸雄（2006）『まちはよみがえる』ビジネス社。

(9) 呼子町史編纂委員会（2005）『呼子町史　ふるさと呼子』唐津市。

(10) 呼子町（2006）『再興呼子鯨組－玄海の暮らしと鯨－事業報告書』呼子町文化連盟。

(11) B.P. ウルフ著，中野雅司訳（2001）『顧客ロイヤルティ・マーケティング』ダイヤモンド社。

(12) P.F ドラッカー著，上田淳生訳（1999）『現代の経営』ダイヤモンド社。

(13) P.Kotler & K.L.Keller (2006), Marketing Manegement,12thed., Prentice-Hall, Pearson Education,inc.（恩蔵直人監修・月谷真紀訳（2008）『コトラー&ケラーのマーケティング・マネジメント第12版』ピアゾン・エデュケーション)。

（石井 隆）

第7章　アイランド・マーケティングの取組み
―佐賀県神集島の事例―

本章では，佐賀県唐津市にある神集島に対するマーケティング・インサイトを論じる。まず，神集島の現状について触れ，神集島に対するイメージ調査を実施し，分析結果からのSWOT分析やマーケティング・ミックスなどのマーケティング戦略を提示する。

第1節　はじめに

片山ゼミナールのアクテイブ・ラーニング活動として2つの島の活性化にここ5，6年間，取り組んできた。その取組み事例として，小川島，高島と加唐島への取組み事例をマーケティング・インサイトとして論じている。その際に，ソリューション・マーケティングの視点からとともに，その細分化であるアイランド・マーケティングやその限界についても論じてきた[1),2)]。今回は，同じ佐賀県唐津市にある7つの島の1つである神集島に対するマーケティング・インサイトを論じている。

第2節　アイランド・マーケティングと地域活性化

地域活性化の構図（第1章，図1－1）は，地域活性化の目的，主体，マーケティング戦略，方法，条件，効果を示している。例えば，地域活性化の目的として，地域経済の活性化であり，地域文化の発見・発掘などを通じての地域における生活の向上である。また，地域活性化の主体として，様々な主体が考えられ，観光企業，観光関連企業，地方自治体，地域住民などである。地域活性化の中心といえるものは，エンジンとしてのマーケティング戦略であり，その派生形としての4つのマーケティング・スタイルが存在する。次に，方法として，マーケティング・ミックスの4Pに関わる観点から，特産品戦略，観光イベント戦略，観光地戦略となる。そして，それらを推進する条件として，リーダーの存在，地域住民の理解と協力などがある。以上のことが，地域活性化の効果として，総合的にプラス効果とマイナス効果となっている。

アイランド・マーケティングのフレームワークは，地域活性化の構図の中に包含されている。地域活性化の構図では，地域活性化の目的，主体，条件が明示されており，マーケティング戦略の展開によってその効果も示されている。アイランド・マーケティングのフレームワークはマーケティング戦略の対象がアイランドに絞られているのである。

国土交通省における平成24年度（2012）の離島活性化等に係る先行事例集，平成25年度（2013）の離島の定住促進事例集，平成27年度（2015）の観光・海業・医療・教育・マッチング分野の先進的・効果的な取組み事例集，平成28年度（2016）の雇用創出の事例集，平成30年度（2018）の離島創生プランの事例集がホームページにそれぞれ掲載されている。それらの中で，佐賀県唐津市の7つの島のうち，松島が，島の食材を用いたレストランによる活性化の事例として取り上げられている[3)]。取り組みとして，島で取れる特産品のサザエ，ウニ，オリーブ等を用いた料理を提供する１日限定イタリアンレストラン「リストランテマツシマ」を開催している。シェフは松島の出身者である。レストランの食事代を高価格帯に設定し，富裕層にターゲットを絞り，テレビ・新聞・雑誌などのメディアへの積極的な広報を実施している。島民による商品販売「マツシママルシェ」や島内散策ツアーも同時開催した。効果として，常設の予約制レストランの開店や松島出身の若者３人がＵターンしている。テレビやSNSの掲載による認知度向上やシェフ考案の新しい特産物加工品を販売している。これは，若者が料理修行し，島を盛り上げるためにＵターンしたことで活性化につながった良い事例といえる。

第３節　神集島へのイメージ調査と分析

本節では，神集島の現状を踏まえながら，島のイメージ調査及び分析を実施した。

１．神集島の現状

神集島は面積1.41㎢で，本土との距離は0.6㎞，世帯数は307世帯，人口161人で，主な産業は漁業である。湊港から荒神丸で約８分，１日９便出ている。この島は船泊りには都合のよい自然の入り江があったことから，古代，大陸へ向かうための日本最後の停泊地として重要な場所であった。西暦200年代前半活躍した第14代仲哀天皇の妻・神功皇后も，天皇の名代で新羅へ出兵するためにこの島を訪問した。奈良を向いて建つ摩呂王神社には応神天皇のへその緒がまつられているといわれている。大陸を望む弓張岳にある評議岩で軍事会議を行い，士気を高めるためそこから弓を放ったことから弓張岳というなど島にはロマン溢れる伝説が数々残っている。

また，７つの万葉句碑が残っている。その１つとして，「足姫御船泊てけむ松浦の海妹が待つべき月は経につつ」がある。その意味は，「足姫「神宮皇后」が新羅と戦ったとき，ここは船泊りされた松浦の海。こんなに遠い地に来てしまいました。都では妻が私の帰りを待っているでしょうに，月日だけがいたずらに流れていきます。」である。詠み人は，遣新羅使である。

次に，島の特産品であった石割豆腐は大陸からの作り方が伝わり，島の家庭の味として代々伝わってきたが，昨今，作り手がいなくなり，伝統が途切れている状態である。半生の大豆と海水から作る天然のにがりを使い，重石で十分に水分を切るのが特徴である。最近は，佐賀県基山町よりエミュを受け入れて，飼育している。

（以上，唐津市島づくり事業実行委員会のパンフレットより抜粋・筆者追加）

写真７－１　神集島

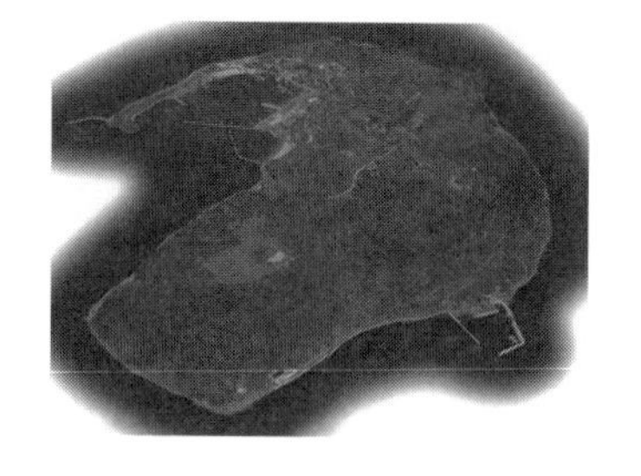

（出所）唐津浜ネットより。

写真７－２　万葉の句碑

（出所）筆者撮影。

写真７－３　神集島案内パンフレット

（出所）神集島のパンフレットより。

また，佐賀県の玄海諸島研究を実施している小林恒夫によると，神集島において高齢者を中心に島民が「今をいかに充実させて島で生きていくか」ということと，若者や中堅層が「将来いかに元気な島を作るか」の２点が重要であると指摘している[4)]。

２．神集島のイメージ調査

2020年10月４日（日）に，湊港の渡船場，玄海みなとん里の駐車場，唐津バスターミナルで，神集島のイメージ調査についてコロナ対策を意識しながら，対面方式で，100人の方にアンケート調査を実施した。有効回答率は95％であった。

３．アンケート調査結果

神集島への来島頻度は95件中，半年に１回が17件で最も多く，ついで，２か月に１回が14件となっている。また，来島目的は60件中，観光目的と釣りのためが14件と多くなっている。そして，来島満足度は64件中，普通が23件，その次が満足とやや満足が７件である。特に，イメージがわからないとの回答者が95件中，40件で，42.1％と多かった。

次に，神集島のイメージ項目の平均値と標準偏差は次の表７－１のとおりである。

表７－１　神集島のイメージ項目の平均値と標準偏差

	平均値	標準偏差
石割豆腐がある	1.8	2.25
万葉の句碑がある	1.2	1.95
お食事がおいしい	1.7	2.04
釣りが楽しめる	2.2	2.27
独特のお祭りがある	1.3	1.90
景色がきれい	2.4	2.26
のんびりできる	2.6	2.27
さびしいところである	1.8	1.85
老人ばかりである	1.8	2.06
小さな島である	2.2	2.17
漁師町である	2.3	2.20
人情味がある	1.9	2.09
一泊するのに手頃である	1.2	1.70
福岡からのアクセスがよい	1.5	1.84
島への案内が充実している	1.2	1.57
インターネット情報が充実	0.9	1.27

（出所）筆者作成。

平均値が高いのは，のんびりできる（2.6），景色がきれい（2.4），漁師町である（2.3）で，平均値が低いのは，インターネット情報が充実（0.9），万葉の句碑がある（1.2），島の案内が充実している（1.2），一泊するのに手頃である（1.2）である。これらのことから，島の情報を発信していく必要があることがわかる。

また，神集島のイメージに対する因子分析結果は，表7－2のとおりである。

表7－2　神集島のイメージに対する因子分析結果

	因子1	因子2	因子3	共通度	残差分散
石割豆腐がある	-0.682	0.525	0.012	0.741	0.259
万葉の句碑がある	-0.367	0.609	0.200	0.546	0.454
お食事がおいしい	-0.645	0.476	0.195	0.681	0.319
釣りが楽しめる	-0.680	0.286	0.419	0.719	0.281
独特のお祭りがある	-0.312	0.704	0.353	0.718	0.282
景色がきれい	-0.693	0.348	0.463	0.815	0.185
のんびりできる	-0.823	0.255	0.469	0.962	0.038
さびしいところである	-0.645	0.315	0.414	0.698	0.302
老人ばかりである	-0.522	0.465	0.506	0.744	0.256
小さな島である	-0.635	0.360	0.505	0.788	0.212
漁師町である	-0.692	0.267	0.579	0.885	0.115
人情味がある	-0.455	0.382	0.683	0.820	0.180
一泊するのに手頃である	-0.244	0.418	0.661	0.671	0.329
福岡からのアクセスがよい	-0.275	0.226	0.761	0.706	0.294
島への案内が充実している	-0.302	0.711	0.474	0.822	0.178
インターネット情報が充実	-0.287	0.671	0.461	0.745	0.255
二乗和	4.830	3.480	3.751		
寄与率	0.302	0.218	0.234		
累積寄与率	0.302	0.519	0.754		

（出所）筆者作成。

因子1では，「のんびりできる」，「景色がきれい」，「石割豆腐がある」，「釣りが楽しめる」などの自然満喫のイメージがある。因子2では，「島への案内が充実している」，「独特のお祭りがある」，「インターネット情報が充実」など島の情報充実のイメージがある。因子3では，「福岡からのアクセスがよい」，「人情味がある」，「一泊するのに手頃である」などの福岡からの近距離感のイメージがある。

因子分析結果，つまり，神集島に対するイメージと実際の現場との乖離は，次の表7－3のとおりである。

表7－3　神集島に対するイメージと実際の現場との乖離

	イメージ	実際
因子1	石割豆腐がある。	石割豆腐は，かつてはあったが，現在は製造されていない。
因子2	島への案内が充実している。	島への案内パンフレットが存在するが，古いままである。
因子3	一泊するのに手頃である。	キャンプをするなら可能であるが，現在は民宿がない。

（出所）筆者作成。

このように，神集島に対するイメージと実際の現場との乖離がみられるのは，アンケートに回答したかつての神集島を知っている方々が，時間が経過した現時点と実際との差があるからである。また，アンケート調査で，神集島のイメージがわからないという方々が42.1％と多かったことから，島への認知度アップを図る必要がある。

第４節　神集島へのマーケティング・インサイト

ここでは，神集島へのマーケティング・インサイトとして，SWOT分析とマーケティング・ミックスを考える。

1．神集島のＳWOT分析

表７－４　神集島のクロスSWOT分析

		強み（S）	弱み（W）
		釣りの訪問客がいる＜1＞ 人情味がある＜2＞ 湊港から船で８分と近い＜3＞ 福岡から近い＜4＞ 万葉の句碑がある＜5＞ 石割豆腐があった＜6＞ 島からの眺めが良い＜7＞ 歴史を感じさせる＜8＞	島の案内が少ない＜1＞ 島内の移動手段がない＜2＞ 船の便数が少ない＜3＞ 宿泊先がない＜4＞ 高齢者が多い＜5＞ 食べ物としての特産品がない＜6＞
機会（O）	釣り客やソロキャンプの方々が増えている＜a＞ 万葉の歴史に関する来島者が来る＜b＞	＜積極戦略＞ SNSを活用した動画制作・発信（1,5,7-a,b） 神集島のキャラクターの開発（5-ａ,ｂ）	＜改善戦略＞ 案内パンフレットの作成（1-a,b） 島で採れるものを活用した特産品の開発（6-a,b） 島でのイベント開催（1,5-a,b）
脅威（T）	波が高いと船が出ないことがある＜a＞ コロナで島外の方が来島できない＜ｂ＞	＜差別化戦略＞ 唐津城やバスセンターで神集島のＰＲ（3,4-ａ,b） 神集島のバーチャル体験（1,2,3,4,5,6,7-ａ,b）	＜回避・撤退戦略＞ 唐津方面に移住（2,3,5-ａ）

表内の４つの戦略内の（　）の番号は，強みと弱みの各番号と機会と脅威の各記号が対応したものであることを意味している。　（出所）筆者作成。

強みと機会を掛けた積極戦略では，SNSを活用した動画制作・発信や神集島のキャラクターの開発が考えられ，強みと脅威を掛けた差別化戦略として，唐津城やバスセンターで神集島のＰＲや神集島のバーチャル体験が考えられる。また，弱みと機会を掛けた改善戦略では，案内パンフレットの作成や島で採れるものを活用した特産品の開発や島でのイベント開催が考えられる。そして，弱みと脅威を掛けた回避・撤退戦略では，唐津方面に移住が残念ながら考えられる。

2．神集島におけるマーケティング・ミックス

マーケティング・ミックスは通常４Ｐで示されるプロダクツ，プライス，プロモーション，プレイスであるが，ここでは，地域活性化の構図で示した，プロダクツに該当する特産品戦略，プロモーションに該当する観光イベント戦略，プレイスに該当する観光地戦略の区分とし，SWOT分析での4つの戦略に対応

表７－５　神集島におけるマーケティング・ミックスの具体的な実施項目

特産品戦略（プロダクツ）	石割豆腐の製造体験やお土産，万葉句碑せんべいなどの特産品開発
観光イベント戦略（プロモーション）	島の案内マップ，ホームページの作成，釣り大会，万葉ウォーク，SNSを活用した動画制作・発信，神集島のキャラクターの開発
観光地戦略（プレイス）	万葉句碑の案内版を作成・設置，中学校の跡地活用，空き家の古民家風に活用

（出所）筆者作成。

写真７－４　片山ゼミ生による島の案内マップ

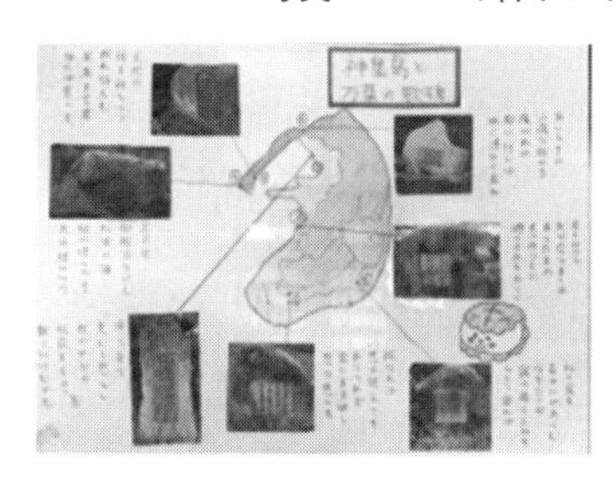

（出所）筆者撮影。

したマーケティング・ミックスは，次のとおりである。

特産品戦略，観光イベント戦略，観光地戦略について，アイデア段階としてまとめた。今後は，区長をはじめ島民の方々との協力を得ながら，マーケティング・ミックスを展開していく必要がある。

3．カスタマー・ジャーニーの活用

カスタマー・ジャーニーとは，消費者が製品・サービスを知り，情報を集め，購入・使用し，その体験をシェアするまでのプロセス[5]のことで，消費者が旅する前の準備段階，最中，終了後の段階のようなものである。これは，ブランドで示されているタッチポイントに関連している。この考え方を神集島になぞらえて，カスタマー・ジャーニー・マップ[6]を作成した（表７－６）。その際

表７－６　神集島のカスタマー・ジャーニー・マップ

セグメント/ステージ	認　知（Aware）	訴　求（Appeal）	調　査（Ask）	行　動（Act）	推　奨（Advocate）
神集島を知らない層	・検索エンジンで検索 ・知人に尋ねる	・インスタグラムの写真やフェイスブックの活用 ・案内パンフレットの活用	・SNS 上の投稿や記事を確認する ・口コミを確認する		
神集島を知っている層	・検索エンジンで検索 ・SNSで第3者の投稿を確認する	・インスタグラムの写真やフェイスブックの活用 ・案内パンフレットの活用	・SNS 上の投稿や記事を確認する ・口コミを確認する	・現地視察を実施する	・知人への口コミ，SNSで推奨
神集島への訪問経験がある層			・SNSで第3者の投稿を確認する	・現地訪問で思い出創り	・現地訪問した思い出をSNSや口コミで推奨

神集島のリピーター				・現地に直接訪問 ・変わった場所を確認	・思い出等をSNSで発信 ・知事等への口コミ

（出所）筆者作成。

に，横軸にフィリップ・コトラー等の５Ａ（認知・訴求・調査・行動・推奨）を用い[7]，縦軸に神集島に対するセグメンテーションを用いた。

この神集島のカスタマー・ジャーニー・マップからいえることは，現代はインスタグラムやフェイスブックなどのSNSを活用したプロモーション展開が手軽になっているが故に，これらの活用を実施していく必要がある。また，当然ながら，神集島の現地訪問者の満足度向上につながる資源を持っていなければならない。

４．国土交通省の離島振興策からの実現可能性に向けて

平成30年度（2018）の離島創生プランの事例集に取り上げられている取り組み内容の主なものは，漁村生活を資源とした体験型観光の推進，外国人による海外旅行客誘致，ホビーツーリズムとしてのサバイバルゲームの取り組み，島と大学の連携としてのアイランドキャンパスの推進，子育て体験ツアー，島の自然を生かした体験型修学旅行，離島留学，働き方改革としてのサテライトオフィス・テレワークセンターの活用などである。

平成30年度（2018）の離島創生プランの事例集に取り上げられている取り組み内容（下記に列挙）は，神集島でも対応可能なプランであると考えられる。しかし，若者の意欲の向上，すなわち，島への帰属貢献しようという意欲がみられないと，プラン段階では了解が得られても，実行段階でいずれも失敗に終わると思われる。島の若者の人材育成を行うことでの島の生活ビジョンを提示し納得してもらいながら，個々のマーケティング・ミックス展開を進めていく必要があるものと考える。

また，平成28年度（2016）の雇用創出の事例集の項目として，企業誘致・企

業支援，新規事業参入，観光，商品開発などである。これらの取り組み内容も，神集島にてプラン段階では作成が可能であるが，実行面での島民の方々のご協力がなければ，先述と同様である。

第5節　まとめにかえて

神集島に対するイメージ調査を実施，そこからのマーケティング・ミックスを考察してきた。今回で佐賀県の玄海諸島の７つのうち，４つ目に当たる調査活動を実施してきている。どの島も高齢化と逆に若者不足が深刻である。また，島のインフラ整備は整っているが，売店が無いなどの未整備への対応が必要である。他の島と同様に，やはり人材不足につきる。島へ魅力を充実させなければならない。島には，この島ならではの資源がみられるからである。実際には，島のリーダーやサブリーダーとその協力者による活性化運動を展開しなければ提案も絵に書いた餅となる。次に，学術的なインプリケーションとして，商品・サービスや店舗のみならず，アイランドにもカスタマー・ジャーニーの視点の活用が可能であることがわかった。今後は，現地の方々との意見交換会などによるコミュニケーションを行いながら，相互の信頼関係の構築の上に，マーケティング・ミックスの展開を考えている。

注

1）片山富弘「アイランド・マーケティングの試み～佐賀県小川島と加唐島の活性化に向けて～」中村学園大学流通科学部『流通科学研究』Vol 15　No. 1　2015年９月，pp.25-36。

2）片山富弘「ルーラル・アイランド・マーケティング～佐賀県唐津市高島の活性化に向けて～」中村学園大学流通科学部『流通科学研究』Vol 16　No. 1　2016年９月，pp.27-37。

3）国土交通省のホームページより2021年３月15日閲覧。https://www.mlit.go.jp/kokudoseisaku/chirit/kokudoseisaku-chirit-tk000012.html

4）小林恒夫『玄海灘島嶼社会の変容』筑波書房，2016年，87-106頁に調査当時の詳細なデータと提言が提示されている。

5）西川英彦・澁谷覚編『1からのデジタル・マーケティング』碩学舎，2019年，p.20。また，カスタマー・ジャーニーについては，加藤希尊『The Customer Journey』宣伝会議，2017年に詳しい。
6）加藤希尊『カスタマー・ジャーニーマップ・ワークショップ』翔泳社，2019年に詳しい。
7）Philip Kotler, Hermawan Kartajaya, Iwan Setiawan Marketing 4.0 Wiley, 2017, pp60-70.

参考文献

(1) 安田亘宏，中村忠司，吉口克利，小畑綾乃『島旅宣言～アイランド・ツーリズムの実態と展望～』教育評論社，2009年。
(2) 片山富弘監修『九州観光マスター検定１級公式テキストブック』福岡商工会議所，2007年。
(3) 片山富弘監修『九州観光マスター検定２級公式テキストブック(新版)』福岡商工会議所，2011年。
(4) 片山富弘編『地域活性化の試論～地域ブランドの視点～』五絃舎，2014年。
(5) 加藤希尊『The Customer Journey』宣伝会議，2017年。
(6) 加藤希尊『カスタマー・ジャーニーマップ・ワークショップ』翔泳社，2019年。
(7) 小林恒夫『玄海灘島嶼社会の変容』筑波書房，2016年。
(8) 玉沖仁美『地域をプロデュースする仕事』英治出版，2012年。
(9) 藤田陽子，渡久地健，かりまたしげひさ編『島嶼地域の新たな展望～自然・文化・社会の融合体としての島々～』九州大学出版会，2014年。
(10) 西川英彦・澁谷覚編『1からのデジタル・マーケティング』碩学舎，2019年。
(11) 本間義人『地域再生の条件』岩波書店，2007年。
(12) 宮副謙司『地域活性化マーケティング』同友館，2015年。

（片山富弘）

第8章　長崎県平戸市根獅子・飯良地域の地域振興

第1節　はじめに

日本は1960年代以降の重化学工業を主軸とした経済発展によって，全国的な人口の流出入が起き，一方では大都市圏において産業や人口が集中し，他方では地方都市や郡部・中山間地域・離島（以下，地方）で人口流出に伴う経済力の低下あるいは過疎化がもたらされた。そのために地方では，地域の経済力の低下や人口の減少を阻止して地域の社会・経済活動を存続・発展するための活動や政策が地域振興や地域おこし等として実施されている。

長崎県平戸市は，位置的・地形的・歴史的・宗教的に固有な特徴が色濃く残存している地域である。そのために日本の近代化や高度経済成長から取り残され，かつ近年の人口減少・少子高齢化のあおりを受け衰退化してきており，特に平戸の市街地から外れた中山間地域（農山村地域）は限界集落として危機的状況にある。そのために平戸市の中山間部に位置する根獅子地域や根獅子・飯良地域は，根獅子集落機能再編成協議会ならびに根獅子・飯良まちづくり運営協議会の主導による諸活動によって地域活性化ないし地域振興が試みられている。

本章は，第1節では地域振興の基本的な説明を行い，第2節では平戸市の根獅子地域や根獅子・飯良地域が様々なイベント・行事や交流を通して交流人口・関係人口の増加を図りながら地域の活性化を試みている事例を紹介する。この地域は，主要産業である農業・漁業等の第一次産業の維持・振興をベースとして自然景観や名所旧跡等の地域資源と結び付いた行事や活動を通して地域活性化を実践している。その際の基本理念や取り組みは，地域資源を活用した地域住民主体の循環型社会に基づく「身の丈」にあった地域振興を目指しているのである。

第2節　地域振興

1．地域振興の概念・政策・経緯

地域とは当該地域の人・生活・産業等の固有性や独自性を有した地域資源に基づく共通の一体性を持った空間であり，独立して機能できる程度の重層性や重複性を有した経済エリアと考えられる。それにより，各地域の固有性・独自性に基づいた地域ブランドや地域産業集積，まちそのものの地域活性化が考えられる。そのために各地域においては多様な地域活性化が推進され，現実には多面的な様相を有している（西村 2021,p.11)。

地域振興あるいは地域おこしは，地域が経済力や人々の意欲を向上させたり，人口を維持したり増やしたりするために行う諸活動のことであり，地域活性化や地域づくりなどとも呼ばれ，町（街）の場合は，まちおこしや都市おこしとも呼ばれている（地域おこしWikipedia 2022年10月27日閲覧)。さらに近年では地域再生あるいは地域創生とも呼ばれている。したがって，地域振興はその時々の背景や状況によって差異がみられ，その捉え方や内容も多様化している。

これまで地域活性化ないし地域振興[1)]に関する政策・施策には，国土交通省・経済産業省・農林水産省・自治省・内閣府など関係部局による目的や対象によって多種多様な政策・施策が実施されてきている。例えば，国政では第三次全国総合開発計画（1977年開始)，首相:大平正芳が提唱した田園都市構想（1978年提唱)，地方では大分県知事:平松守彦（1979年）が掲げた一村一品運動などにみられる。この頃から，国が地方自治体に指図するやり方が改められるようになり，首相:竹下登が掲げたふるさと創生事業（1988年－1989年）では，初めて各地方自治体に用途の使途を定めない交付金が与えられた（地域おこしWikipedia 2022年10月27日閲覧)。

これまで多くの地域活性化ないし地域振興の政策・施策が国や地方自治体によって行われてきたが，人口減少に歯止めがかかることなく，地方から首都圏への流入による東京一極集中を止めることもできない状況が続いている。そのために政府は，国をあげて人口減少に歯止めをかけ，地方創生を目指すために，「まち・ひと・しごと創生法（略称：地域創生法）」（2014年制定）[2)]を制定した。それに基づき，都道府県ならびに各市町村においては，自らの計画と責任において「まち・ひと・しごと創生総合戦略」を策定し，取り組むことが強く求められた。この総合戦略は，第１期（2015年－2019年）で基本的な目標や施策の方向性を策定・実行し，第２期（2020年－2024年）でそれらの効果検証を行い，継続して取り組むべき施策をまとめて実施していくものである（林 2021，pp. 36-37)。

この地域創生法に基づく地域振興は，人口減少問題だけでなく，また従来の地域活性化でもなく，地域の経済・厚生・教育・まちづくりなど多方面にわたる多様性を持った新たな価値創出による地域活性化を主眼として，各地域がそれぞれの特徴を活かした自律的で持続的な社会を創造するという，いわば地域創生という考え方である（西村 2021，p.５）。

したがって，地域創生は，地域住民の持続的な福利厚生の向上を目的とするものであり，従来の規模の経済による成長を求めるのでなく適正規模での持続可能性を求める方向であり，身の丈にあった地域のステークホルダーを底上げできる新しい社会価値のもので地域全体を包摂し産業基盤を厚くするような方向性を目指しているのである（西村 2021，pp.7-8)。

２．観光による地域振興

地域振興の一環として昭和終盤から平成初頭にかけて全国を席巻した「リゾート開発ブーム」は，バブル経済の崩壊に伴って終焉し，リゾート開発の推進を図ろうとした地域には大きな傷跡が残された。その挫折と反省に立って，地域振興のあり方が模索されはじめた。その１つが新たな観光のあり方である（東 2019，p.８）。

観光振興[3)]は，地域にとって観光人口や交流人口[4)]の増加による地域の社会的・経済的活力を生み出すとともに，地域の恵みや持ち味を再認識・再評価し，地域らしさ・地域アイデンティティを再創造することを通じて，地域への誇りや愛着を取り戻す期待が観光に向けられたことを意味している（東 2019, p.10）。

これまでの観光による地域振興は，外来資本に頼り，行政に頼り，旅行業に頼ってきた，いわば「依存型」であった。それに対して，新たに提唱されるようになった観光・地域振興のあり方は，依存型から脱却し，住民自らが主体性をもってより自律的・内発的に取り組むものとして，多様な分野の組織，様々な経験・知識・スキルをもった人々の「協働型」で進められるのが望ましいと考えられるようになってきたのである（東 2019, p.11）。

地域経済の活性化は，観光だけでなく地場産品の振興を図ることも重要な課題である。観光も地場産品も地域の「稼ぐ力」を実現する手段であり，いわば外需獲得型の地域経済活性化の両輪である。地域経済の活性化に向けては，観光の促進だけでなく，地場産品のブランド構築や市場開拓と連携した仕組みを構築することが効果的であろう（東 2019, p.11）。

ともあれ，国・地方自治体が一体的に取り組む，持続可能な地域づくりの柱として注目されたのが観光である。観光は，かつてマス・ツーリズムといわれた団体観光が主流だったが，現在は，個々の消費者の嗜好の変化により，エコツーリズム，グリーンツーリズム，ヘルスツーリズムなどのニューツーリズムとして地域が企画する着地型観光が注目されるようになってきている。このような動きは，持続可能な着地型観光を目指して，各地域で地域ブランド商品の内発的な商品開発，埋もれた地域資源発掘の取り組みの活発化をもたらしたのである（林 2021, p.38）。

1990年代に登場したオルタナティブ・ツーリズムは，旅行者が個々人の趣味や嗜好に基づいて訪れ，そこでの体験や交流を行うものであり，これまでの観光とは全く異なった価値観でその地域の魅力を体感できるものである。したがって，オルタナティブ・ツーリズムは，各地域が地域独自の資源の開発に取り組み，それらを活かした観光振興に力を入れるといった，新たな観光商品・サービスの供給側のシーズと需要する消費者のニーズとの相互作用の中で展開されている。このような新しい観光は，従来の旅行業者主体による観光資源の開発でなく，地元住民の参画や協力の上で発掘されるものである。そのために住民が主体となって地域の魅力を発掘するためのワークショップを開催したり，街歩きを行ったりすることで，住民自身の参画による観光まちづくりと考えてよいであろう（林 2021，p.45）。

観光は，地域創生法に基づく政府の第 1 期「総合戦略」において注目され，交流人口をもたらす大きな手段となりえると期待された。交流には，「ヒトが動くことにより，モノが動き，ココロが動くといった全体的な関係を作り出す」ことが期待され，短期的な観光として捉えていた。しかし，昨今，地域外の人々と多様なつながり方を考える関係人口が注目されている。第 2 期「総合戦略」の中にも交流人口から関係人口を創っていこうとする流れ，観光でも定住でもない地域の新たな戦略が組み込まれている。このような地域への関わりが観光であり，そこに交流が生まれ，関係をつくり出していく。従来の単なる観光地・観光開発といった短期的な観光振興でなく，地域との長期的な関係づくりを創出する観光地づくり・観光地経営が必要性となってくるのである（林2021，pp.43-44）。

一般に，地域振興は，地域環境・地域経済・地域社会がお互いに関係し合い，支え合って，人々の暮らしの在り方に影響をもたらすのである。換言すれば，地域環境は自然環境・都市インフラ施設・町並み・景観など生活や暮らしを豊かにするうえで不可欠のものであり，地域経済はより豊かな生活を営むための生産・流通それらをうまく循環させるための経済活動であり，地域社会は地域の人々の交流・伝統的な祭りやイベントなど人生の生きがいなどに重要な役割をはたすものとして捉えられている（石原 2010，pp.13-15）。

そこで，第 2 節では平戸市の現状を踏まえたうえで，平戸中山間地域の根獅子地域ならびに根獅子・飯良地域の地域活性化ないし地域振興の現状と課題について考察する。

第３節　平戸市中山間地域（根獅子と根獅子・飯良）の地域振興

１．平戸の概要

平戸市（平戸）は九州の西，長崎県の北西部に位置し，面積235.60㎢で平戸島をはじめ生月島・大島・度島・高島等の島々と九州本土北西部沿岸部に位置する田平地域で構成されている。地形的には平坦地が少なく起伏地形が多く，海岸線の各所に岬が突出しており，平戸島・生月島の西海岸では海蝕崖が発達し西海国立公園の一角を占めている。歴史的には，古代では三韓征伐の神功皇后の霊峰志々岐山にまつわり，朝鮮・中国に対する防備ならびに海上交通の要所であった。中世ではポルトガル船が入港した1550年以来，1641年に貿易港が長崎に移転するまでの約90年間，ポルトガル・スペイン・オランダ・イギリスの各国が来航し，当時平戸は西の都といわれるほど繁栄していた（長崎県知事公室世界遺産担当 2008，pp.Ⅱ7-Ⅱ15，平戸市企画課 2008，pp.6-7）。宗教的には，古来の土着信仰の神や仏教に加え中世に入ってきたキリスト教の信仰とその関連史跡が多く散在し，さらに仏教徒でありながらキリスト関連の行事や「しきたり」を伝承している，いわゆる「カクレキリシタン」などの信仰・行事が一部に残存しながら現在に至っている（川上 2012）。

平戸の人口は，2000年に41,586人，2005年に38,389人，2010年に34,905人，2015年に31,920人，2020年には29,365人と３万人を割っている。2015年度の産業別就業人口構成比でみると，第一次産業が19.7％，第二次産業が18.1％，第三次産業が62.2％を示し，第一産業のウエイトが２割近くを占めている産業構造に特徴がみられる（平戸市ホームページ国勢調査 2023）。

平戸は，地理的・歴史的に形成された自然景観や名所旧跡等の観光資源が多く存在している。特に自然景観として西海国立公園に一角を占めている島々やそこに点在する棚田・段々畑などの風光明媚な景観（重要文化的景観）があげられ，それを基盤とした農業・漁業等の第一次産業が主たる産業となっている。また名所旧跡としてオランダ橋，鄭成功関連の史跡，キリスト教会群，神社仏閣，最近復元したオランダ商館，平戸城，松浦史料博物館，生月島の館博物館，切支丹資料館などがあげられ，観光による地域振興の目玉とされている（平戸市企画課 2008，pp.6-7）。

しかし，平戸観光の中心は市街地やその周辺部に集中・存在している観光資源に限定されている。平戸の大部分を占めている中山間地域（農山村地域）は，自然景観や名所旧跡が点在しているといえ，もっぱら農業・漁業等の第一次産業を中心に第二次・三次産業の兼業が多く，それで生計を立てているのが現状である。

以下，平戸市における中山間部の根獅子地域および根獅子・飯良地域の地域振興の事例を紹介しよう。この両地域は根獅子集落機能再編成協議会ならびに根獅子・飯良まちづくり運営協議会主導の活動や行事を通して地域活性化ないし地域振興が試みられている。

2．根獅子の概要と根獅子集落機能再編協議会

平戸市根獅子町（以下，根獅子）は平戸島の中西部に位置し，浜に面したすり鉢型の斜面状に4つの谷合が形成され，松山の谷・中番の谷・美野の谷・崎の谷それぞれ4つの谷に住宅が身を寄せ合うように集落を形成している。

根獅子の人口は，戦前の最高人口が1,271人を有し，1960年代の根獅子小学校の児童も300人を超えていた（川上 2012）。その後，2005年度に656人であったが，2019年6月1日現在で449人，2023年6月1日現在で418人と減少している（平戸市ホームページ 2023）。

根獅子の産業は農業・漁業等に基づく農水産物（魚介類・野菜・果物等）の生産・販売を中心とした第一次産業を基盤として第二次・第三次産業との兼業により生計を立てている。観光資源では海水浴に適切な根獅子の浜（環境省選定日本の快水浴場100選），重要文化景観の棚田・段々畑，名所旧跡（カクレキリシタン信仰「うしゃきの森」・昇天石，小麦さま墓地），伝統芸能（国指定無形文化財の自安和楽とお謡いの上様），文化財施設（切支丹資料館）など多様な資源が存在しているが，地域の経済活性化には何ら活用できていないのが現状である（根獅

子地区集落機能再編事業実施報告書2008，p. 2，川上 2012)。

根獅子は人口減少・少子高齢化や第一次産業の衰退によって過疎化が進展している。そこで，根獅子は住民主導による1992年の「平戸アイアンマントライアスロンin根獅子」の開催を発端とし，各種のイベントや行事を開催し，島内外からの観光・交流人口の増加を図りながら地域振興の活動を行ってきている。

根獅子の活動組織としては，1995年のヒラド・ビッグフューチャーズの設立に始まり，一般財団法人MOA自然農法文化事業団平戸普及会・花農苑（端泉郷)，2007年に「根獅子集落機能再編協議会」(当初全国9地区で九州では根獅子のみ)[5]，おろくにんさま工房（地元婦人による食事・弁当・おせち料理の提供)，平戸市グリーンツーリズム研究会があげられる。このうち中心的な組織としては，根獅子集落機能再編協議会（以下，協議会)（事務局長：川上茂次）が民家を移築改修した「かのう交流館」を拠点として各種イベントや行事の組織的・継続的な活動を行い，それらの活動を支援・フォローするものとして「おろくにんさま工房」が存在している（川上 2012)。

協議会は地元住民（会長・事務局長・理事）を中心として，地域外の学識経験者から構成されている。その役割としては各種イベント・行事による人的交流・情報交換を通して地域資源の開発・育成とブランド化[6]を行うことによって，主要産業の維持・育成を図りつつ地域住民の福利厚生向上の一端を担っている。

協議会主導の活動を列記すると，地元住民を対象に市民大学，桜の花見後の郷土料理による食まつり，地元の名所旧跡の街歩き，大学生等による田植え・稲刈りをはじめとした農業体験を実施してきた。また地元の親子を対象に各種の教育活動（絵本作家による原画展示などの交流によるワークショップや柳田邦男講演会や絵本と紙芝居の作り方教室）も開催した。さらに特徴的なものとしては，大学スタッフ（九州大学，佐賀大学，久留米大学・長崎県立大学・中村学園大学・筑波大学等)・NPO団体（NPO九州総合研究所や筑後川流域連携倶楽部，九州国立博物館を愛する会等）の共同・支援のもとに学会・シンポジウムやイベント・行事等を開催するなど多面的な活動を行ってきた。

次に全国重要文化景観関係の大学スタッフ・行政官僚・組織団体のスタッフ

による「自然景観を活かした地域おこし」等の各種シンポジウムやその後の「食のイベント」による郷土料理の試食会，MOA自然農法文化事業団財団との連携で瑞泉郷公園と自然農法の推進，棚田米で作った清酒の試飲会，また船上から平戸島・生月島の視察・観光を合わせた「海上シンポジウムと市民大学」の活動も行った。さらに久留米市の商店街との関わりで，久留米市の夜市・イベントに出店して根獅子の産品を展示・販売した。

この協議会のメンバーはほとんどが地元住民であり，それを支える「おろくにんさま工房」も地元の主婦メンバーで構成されている。このように地域住民は，根獅子地域の活性化にとってホスト（主役）であり，同時にまたゲスト（顧客）として活動している。その意味では，地元住民にとっての協議会の活動は，収入の機会（地元産品・サービスの販売・提供の場），生活の機会（地元産品・サービスの購入・消費の場），社会活動の機会（情報交換，行事参加，知識や技術の提供・習得の場）の一部として地域に大きく関与してきた（岩永 2015，pp. 60-63）。

この協議会は，外部資金（農林水産省等の補助金）を活用しながら地元メンバーが企画・運営し，大学・NPO等の関係団体との交流を通したイベント・行事の活動による地域活性化ないし地域振興に特徴がみられる。

３．根獅子・飯良まちづくり運営協議会

根獅子・飯良地域は，平戸島の中西部に位置し，根獅子１・２・３・４と飯良１・２の６つの自治会からなる地域である。両地域の近年の人口は，2019年６月１日現在で599人，2023年６月１日現在で545人と減少している（平戸市ホームページ 2023）。

地域内には重要文化的景観（平戸島の文化的景観選定の一部），根獅子の浜（日本の快水浴場100選）・飯良の浜，根獅子・飯良の棚田，伝統芸能（根獅子ジャンガラ），宗教・歴史文化史跡の観光スポットが存在している。基幹産業は第一次産業の農業・漁業であり，農業は水稲・野菜の他に肉用牛なども生産している。漁業はイカ・鯛・イサキ等の魚種が水揚げされている（根獅子・飯良まちづ

くり運営協議会設立準備委員会 2019, pp.1-3)。

2019年に平戸市における各地区まちづくり運営協議会（14地区）の１つとして設立された「根獅子・飯良まちづくり運営協議会」（略称・まち協）[7)]（会長：川上茂次）は，持続可能な地域を形成するため，まちづくり計画に計上された地域課題解決のための事業および地域活性化のための事業を地区住民自らが行っている。このまち協は，国の地方創生事業の「まち・ひと・しごと創生事業」の一環として，新しいコミュニティづくりとして平戸市の条例で設置を義務化し，交付金を原資として発足した。

このまち協は，過疎が進み限界集落化し消滅集落化する集落を学校区に再編成し，人が集まる拠点を新たにつくり持続性のある集落づくりを目指すものである。基本的に自助・互助・共助により持続性のあるまちづくりを実現しようとするものである。

このまち協は，総会・役員会・部会で構成されており，正副会長を中心に地域づくり部会・健康保健部会・生活環境部会の３つの部会を置いている。それぞれ各部会の役割として，①地域づくり部会（地域行事，伝統文化，特産品の開発，コミュニティビジネスなど），②健康保健部会（高齢者の見守り，居場所づくり，子どもの健全育成など），③生活環境部会（生活環境整備，環境美化，防犯・防災活動など）があげられる（同準備委員会2019, p.16)。

これまで実施した活動には，①地域づくり部会では，もてなし料理講習会，蕎麦つくり・小麦つくり，ふるさと市場（ぴんぴんシュシュ）露店，伝統行事の鬼火焚き，桜まつり，虫祈祷夏の火祭り（棚田のともしび），菜の花のまちづくり（菜の花まつり）があげられる。②健康保健部会では，生活者支援としてのぴんぴんシニア事業，高齢者の健康教室で図書館の出前講座，生き生きサロン（筋トレ講座），学びの講座等の開設として野菜づくりの講習会，公民教育・学びの場づくり，つどいの場事業クラフトバンド教室，紙ひもで編み上げる籠，自然農法の講習会，子ども夏季学習，わら細工講座があげられる。③生活環境部会では，草刈り隊による市県道の陰切草刈り作業，環境整備事業による自生桜の木保全活動を通しての桜のまちづくり，生活道路等の生コン支給代行作業があげられる（会長：川上 2023)。

第4節　おわりに

わが国は，成熟化社会に伴い人口減少・少子高齢化の進展によって地方都市や中山間（農山村）地域の経済力や活力が低下している。そのためにこれらの地域は定住人口の確保および各種イベント・行事・交流等を通して交流人口・関係人口の増加を推進しながら社会・経済の活性化を図るべき地域振興が求められている。

本章は，第1節では，地域振興の概念・政策・経緯を整理しながら地域活性化ないし地域振興について考察してきた。第2節では，地域振興の事例として，平戸市の概要を説明したうえで，中山間地域にある根獅子地域や根獅子・飯良地域の地域振興について具体的な活動や取り組みを紹介してきた。

根獅子地域は根獅子集落機能再編協議会の発足を契機として，第一次産業の農業・漁業を基盤として自然景観や歴史・文化史跡を活用しながら各種のイベント・行事による人的交流・情報交換を通して地域振興を試みている。この協議会の効果は，各種の活動を通して社会的基盤が整理され，かつ地域内外からの人々の交流・共同作業を通して地域活性化に大きく寄与してきた。しかし近年，この協議会の活動は，主要メンバーや協力者の高齢化に伴い，これまでの活動を維持・展開することが困難になり，かつ2019年末から2020年に発生・流行したコロナ禍のもとに県外との交流がほとんど不可能な状況に陥った。

その後，根獅子・飯良地域は，2019年に国の地方創生事業の「まち・ひと・しごと創生事業」の一環として発足・設立された「まち協」が，各種の行事や活動を通して交流人口の増加を推進しながら地域振興を試みている。このまち協は，従来の自治会に代わる行政の代行業務を担う面もありうる。しかし，若い世代の参加が極めて少なく高齢者で運営し推進しているのが実態である。その中で，まち協は2022年度より若い女性の地域おこし協力隊員を参加させた。この協力隊が期待通り活躍し児童・生徒や若い世代との太いパイプを通してまち協との関係を構築するなど，これまでにない賑わいを醸し出してきている。

これまで協議会・まち協の活動には若者・子供の参画・参加する機会がほとんどなかった。今後，若者・子供を含め多くの老若男女が楽しく気楽に参画・参加できるようなイベント・行事を企画・運営することが課題である。それによって協議会・まち協の活動が多くの地元住民の参加のもとに定期的・持続的に行われ，それがまた地域外からの交流人口・関係人口の増加を引き起こし地域活性化に寄与するものと思われる。

ともあれ，これからの地域活性化ないし地域振興は，ハード面での社会基盤の充実を図りながらも人による「おもてなし」を通した人的資源をうまく活用したソフト面に重点を置く持続可能な発展を志向していかなければならない。

注

1）本章では，地域活性化が具体的な部分の活性化（活発化）を示しているのに対して，地域振興は地域社会全体の活性化（活発化）を意味している。

2）まち・ひと・しごと創生法（まち・ひと・しごとそうせいほう，平成26年法律第136号）は，地方創生を推進するため，人口減少や東京圏への人口集中を食い止め，地方を活性化するための基本理念などを定める日本の法律。2014年11月28日に公布された（https://ja.wikipedia.org/wiki/まち・ひと・しごと，2023年7月20日閲覧）。

3）観光による効果は，①交流人口の消費活動を盛んにし，経済を活性化させることができる。②都市間競争力を強化でき，都市の魅力やイメージを向上させることにもつながる。③国内外の創造的人材に知的産業基盤として快適環境を提供し，科学・技術，芸術・文化産業などの分野で新たな産業を育てることに貢献する。④幅広い経済波及効果のある観光産業を育て，各種産業の活性化，さらに産業構造の転換を可能にする（林 2021，pp.42-43）。

なお，観光振興は負の側面もある。観光客数や消費額を増加させることに注目され，「オーバーツーリズム」や「観光公害」といった負の事態が生じている。そのために観光振興には，経験価値の高い観光を目指さなければならない。経験価値の高い観光を通じて，観光客の満足度を高めるのはもちろん，地域を訪れた観光客＝ゲストを地域のファンに変える。地域のファンになった観光客は，またいつの日か地域を訪れてくるかもしれない。いやそれだけではない。帰った後でも地域の生産物を購買し，あるいはふるさと納税を通じて地域のサポーターになってくれるかもしれない。観光はいわば地域と訪れる人との間の関係性，心の絆を結ぶきっかけなのである。「観光を観光で終わらせない関係」を築くこと，地域振興にとって，　今そうした観光のあり方が求められている（東 2019，pp.12-13）。

4）交流人口とは，「ヒトが動くことにより，モノが動き，ココロが動くといった全体的な関係を作り出す」交流による人口であり，昨今，観光でも定住でもない地域外の人々と多様なつながり方を考える関係人口が注目されている。関係人口とは「特定の地域に継続的に多様な形で関わるも者」（第2期総合戦略）と定義づけられている。（林 2021，pp.43-44）。

5）根獅子集落機能再編協議会は，任意の団体で農水省山村振興交付金事業の受託推進を図るために設立した団体である。交付金は直接に本会に交付されていた。したがって成果及び決算報告は義務であり，会計検査院の監査も受けた。県及び市の関与はなく，農水省と直に意見交換したりアドバイスをいただきながら推進してきた（事務局長：川上 2023）。

6）平戸根獅子資源のブランド化の事例としては，根獅子棚田米から製造された清酒（アルコール19度）があげられる。容量・瓶の相違によって次の2種類がある。

①原酒おろくにんさま→720ml瓶，②原酒昇天→1,800ml（1升）瓶がある

これら清酒のネーミング・生産販売実績・課題等については，岩永忠康（2015）「長崎県平戸市根獅子町の活性化への取り組み」片山富弘編著『地域活性化への試論―地域ブランドの視点―』五絃舎を参照。

7）根獅子・飯良まちづくり運営協議会（略称・まち協）は，国のひと・もの・しごと創生事業の一環として，国土交通省は複数の集落を包含した地域の拠点づくりを目指している。総務省でも衰退したコミュニティを再生し持続性のある地域づくりを推進するために，なけなしの交付金を交付し小さな役場づくりを推進している。それは，自助・共助・公助の持続性のあるコミュニティを目指そうとするものである。立ち上げには地域運営協議会設立を条例化し，交付金分の活動を義務化している。そこには臨時職員の地域推進員を置き，これにまち協の事務局長を担わせている。市交付金の対象団体だから市の監査が厳しく半官半民的な団体といえる（会長：川上 2023）。

まち協は，2022年度から農水省農山村振興交付金による農村型RMO(農業版地域運営協議会)をまち協の推進の一環として推進している。内容は，農用地保全活動・地域資源の活用・農家農民の生活支援活動である。2023年度の補助金も採択され，まち協に新たに農事班(営農支援隊)が設置され農業振興に寄与する仕組づくりも整ってきた。それによって根獅子・飯良ブランドの計画，キリシタン資料館の指定管理と海浜公園の活用によるキャンプ場設営などまち協の組織を活かした活動の進展がみられる。しかし，この農村型RMO事業の趣旨がなかなか浸透しにくく，それをクリアーしたら地域の活性化の波に乗ると期待されている（会長：川上 2023）。

まち協に2022年度より若い女性の地域おこし協力隊派遣を強く要請し受けている。この隊員は調理師の資格を持ちまち協栽培のソバや小麦をはじめ地域の産物を駆使し

試作や食育，新規事業立案，公民館や小中学校との連携を通して大活躍し，SNSも活用しつつ1年間で児童生徒とまち協のパイプを太くし，若い世代との関係を構築してくれた。今日のイベントにはこれらが参加しこれまでにない賑わいを醸し出すなど，地域おこし協力隊派遣の効果が大きい（会長：川上 2023)。

参考文献

(1) 西村順二（2021)「地域の活性化を考える視座」西村順二・陶山計介・田中洋・山口夕妃子編『地域創生マーケティング』中央経済社。

(2) 林優子（2021)「持続可能なまちづくりに求められる観光産業」西村順二・陶山計介・田中洋・山口夕妃子編『地域創生マーケティング』中央経済社。

(3) 東 徹（2019)「観光と地域振興 ―平成時代を回顧し，令和時代の課題を考える― 」総合観光学会誌『総合観光研究』第18号。

(4) 石原武政（2010)「まちづくりとは何か」石原武政・西村幸夫編（2010)『まちづくりを学ぶ―地域再生の取組み図―』有斐閣。

(5) 長崎県知事公室世界遺産担当（2008)『地域・地区調査報告書(平戸地域)』かいアソシエイツ。

(6) 平戸市企画課（2008)『平戸市総合計画―ひと（HITO）響きあう　宝島　平戸―』。

(7) 根獅子集落機能再編協議会（2008)『根獅子地区集落機能再編事業実施報告書』。

(8) 岩永忠康（2015)「長崎県平戸市根獅子町の活性化への取り組み」片山富弘編著『地域活性化への試論―地域ブランドの視点―』五絃舎。

(9) 根獅子・飯良まちづくり運営協議会設立準備委員会（2019)『根獅子・飯良まちづくり計画』。

(10) 根獅子集落機能再編協議会事務局長：川上茂次（2012）より聞き取りと資料提供。

(11) 根獅子・飯良まちづくり運営協議会会長：川上茂次（2023）より聞き取りと資料提供。

(12) https://ja.wikipedia.org/wiki/%E5%9C%B0%E5%9 地域おこし（2023年7月20日閲覧)。

(13) https://ja.wikipedia.org/wiki/まち・ひと・しごと創生法（2023年7月20日閲覧)。

(14) city.hirado.nagasaki.jp
https://www.city.hirado.nagasaki.jp/kurashi/gyosei/...（2023年7月20日閲覧)。

（岩永忠康）

第9章　長崎県五島市における地域活性化の取り組み

第1節　五島市の概要

長崎県五島市は，大小152の島々からなる五島列島の南西部に位置し，総面積420.12㎢，10の有人島と53の無人島で構成されている。2004年8月1日，福江市，南松浦郡富江町・玉之浦町・三井楽町・岐宿町・奈留町の1市5町が合併して五島市となった（以下，旧市町を地区と称する）。最大の面積を有する福江島は国境の島であり，遣唐使の時代には船の最終寄港地として栄え，今後数年間を海外で暮らす運命を背負った彼らにとってまさに惜別の地であった。

図9－1　五島市の6地区

（注）久賀島は福江地区に属している。
（出所）五島市，離島移住促進サイト
https://www.city.goto.nagasaki.jp/iju/li/050/010/index.html

五島市は，四方を海に囲まれた豊かな自然と歴史・文化を活かした観光産業に力を入れており，新型コロナ感染症流行前の2019年には約25万人の観光客が来島し，約92億円の観光消費額を記録している（五島市地域振興部2023, pp.1-5）[1]。
九州本土から五島市へのアクセスは，福岡空港から航空機で45分，博多港からフェリーで8時間30分，長崎空港から航空機で30分，長崎港からフェリーで3時間10分，ジェットフォイルで1時間25分などがある（五島市総務企画部2023, pp.18-19）。

五島市の人口（国勢調査）は減少の一途を辿っており，1975年63,410人，1985年57,736人，1995年51,295人，2005年44,765人，2015年37,327人，2020年34,391人と推移している。1975年から2020年までの45年間の減少率は，長崎県平均の16.5%に対して，五島市は45.8%である。急激な人口減少は，離島という地理的要因が大きく影響していると考えられる。また，2020年の年齢3区分人口比率（国勢調査）をみると，15歳未満10.5%（長崎県12.5%），15歳～64歳48.6%（同53.8%），65歳以上40.8%（同32.8%）であり，長崎県平均と比べて高齢者の割合がかなり高いことがわかる。

五島市における急速な人口減少と高い高齢者比率は，地域における全体需要（購買力）を縮小させ，地域住民の地区内移動と地区間移動（モビリティ）を減退させる。それは，離島としての五島市が他の地域に先駆けて新たな社会問題（買い物難民や医療難民）に直面することを意味しており，その解決のための地域活性化政策の策定と実行が急務な課題となる。

第2節　五島市商店街

1．商店街の概況

五島市商店街は，九州本土からの定期航路が発着する福江港に近接した位置にある。車道の両側に歩行者用のアーケードが設けられた2つの大通り（新栄町通り，本町通り）を本流として，そこから幾筋もの支流（さかや町通り，寿通り，平和通りなど9つの通り）が枝分かれする構造となっている。

五島市商店街の特性は以下のとおりである[2)]。

①創業，経営年数

創業は，明治・大正期８％，昭和期75％，平成期17％であった。明治・大正期に創業した老舗店舗の業種は，履物店，文具店，米穀店，菓子製造販売店である。経営年数をみると，50年以上が全体の62％を占めており，30年未満の若い店舗は19％であった。このことから，商店街への新規参入が少なく，新陳代謝にやや欠けているという特性がみうけられる。

②代表者年齢，後継者

30～49歳13％，50～69歳56％，70歳以上31％であった（2015年当時）。60歳以上の経営者比率が61％を占めており，平均年齢は64歳である。30～49歳の若い経営者の多くが家業の継承者（２代目や３代目）である。後継者の有無をみると，後継者が決まっている店舗はわずか３割であった。老舗店舗（３代目経営）に絞っても後継者が決まっているのは３割に過ぎなかった。また，70歳以上が経営する店舗で後継者が決まっている店舗は半数程度であり，近い将来における空き店舗化の危機に直面していた。

③開店時間，閉店時間

開店時間をみると，午前８時台までに開店する店舗が全体の55％を占めており，比較的多くの店舗が早朝から営業している。遅い時間（10時以降）に開店する業種は，玩具店，衣料品店，菓子製造販売店，飲食店などである。閉店時間をみると，全体の８割を超える店舗が19時までに閉店している。早い時間（17時）に閉店する業種は，鮮魚店，菓子製造販売店，米穀店などである。

④来客状況

来客は57％の店舗が平日の方が多いと回答しており，平日依存の傾向が表れている（ちなみに，土曜・日曜・休日が多い11％，どちらも変わらない28％）。福江地区は国や県の出先機関とともに，銀行や民間企業の支店が多く，公務員やビジネスマンの日常の買い物先として機能していると考えられる。

2．中心地性の喪失

五島市商店街は，かつては300を超える店舗数を有し，福江地区内だけでなく，合併前の5地区からも大勢の買い物客を吸引し，下五島地域の中心商業地として大きな賑わいをみせていた。しかし，近年はその中心地性（顧客吸引力）が大きく失われている。西島（2016）によれば，売り上げが「減っている」と回答した商店主が77％を占めており，「変わらない」15％，「増えている」はわずか7％であった。「減っている」と回答したのは，小売業67％，製造小売業11％，飲食業14％，サービス業8％である。この比率は五島市商店街の業種別構成比とほぼ一致していることから，特定の業種に偏りなくすべての業種（商店街全体）で厳しい現実に直面していることがわかる（西島2016, pp.110-111）。ちなみに，同時期（2015年）に調査された全国の商店街の景況では，「衰退している」または「衰退の恐れがある」と回答した商店街は66.9％，「横ばいである」24.7％，「繁栄している」または「繁栄の兆しがある」5.3％であった（中小企業庁2022, p.10）。単純には比較できないが，五島市商店街の衰退傾向（顧客吸引力の低下）が相対的に大きいといってよいだろう。

商店街における集客力低下は必然的に空き店舗の増加を引き起こす。福江商工会議所による中心商店街の店舗状況調査によれば，営業店舗230，空き店舗68，駐車場63であり，空き店舗率は22.8％であった[3)]。しかも，五島市商店街の2つのメイン通り（本流の通り）の空き店舗率をみれば，新栄町通り27.8％，本町通り23.6％に達しており，いずれも五島市商店街平均を上回る空き店舗率となっている[4)]。同時期（2015年）に調査された全国商店街の1商店街あたりの平均空き店舗数が5.49店，空き店舗率が13.17％であったのと比較すれば，五島市商店街が直面する空き店舗問題の深刻度の大きさがわかる（中小企業庁2022, p.5）。

五島市商店街が中心地性を失ってしまった要因として次の3点が考えられる。第1は，五島市における急速な人口減少と高齢化による地域住民の購買力の絶対的減少，それに付随する国・県の出先機関の規模縮小，公立学校の統廃合，民間企業の支店の整理縮小などに伴ういわゆる転勤族需要の絶対的減少である。

つまり，五島市全体のパイ（需要量ないし購買力）が急激に小さくなってしまったという現実がある。第2の要因は，JAごとう農協本店の移転（1996年），五島中央病院（外来者1日約800名）の移転（2002年）など，中心市街地への集客に貢献していた大規模施設の郊外移転である。とくに病院移転の影響は大きく，商店街は，通院患者と見舞い客という多くの来街者（買い物客）を失ってしまった。第3の要因は，大型店の郊外出店である。人口減少による需要量の絶対的縮小のなかにあって，五島市商店街は広大な駐車場を有する近代的な大型店との競争に直面したのである。年々小さくなっていくパイの奪い合いに参戦せざるを得なくなったことは，離島という特殊な環境下にある五島市商店街にとって大きな打撃になった[5)]。その意味で，この第3の要因が商店街の中心地性を喪失させたもっとも大きな要因であったといえるだろう。次節で詳しく分析しよう。

第3節　郊外大型店

五島市（福江地区）郊外に最初に大型店（食品スーパー）が出店したのは1995年11月であった。5千㎡を超える店舗面積，広大な駐車スペース，午前9時から午後11時までの営業時間という，当時としては市内最大規模の近代的小売商業施設であった。さらに，その3年後の1998年9月には，店舗面積9千㎡超，駐車スペース400台弱の巨大ショッピングセンターが開店した。

この2つの郊外大型店の出現は，福江島（福江地区・富江地区・玉之浦地区・三井楽地区・岐宿地区）で暮らす住民に大きなインパクトを与え，地域住民の主たる買い物場所が中心市街地（商店街）から郊外大型店へと瞬く間に移転してしまった。表9－1は，郊外大型店の出店前（1994年）と出店後（2004年）の福江地区の小売商業構造の変化を示したものである。郊外大型店の出店前後でもっとも大きな変化がみられたのは売場面積である。1994年と2004年を比較すると，福江地区の商店数は20％ほど減少しているにもかかわらず，売場面積は約1.5倍，平均店舗規模は約1.8倍に拡大している。また，行政人口が減少して

表９－１　福江地区における小売商業構造の推移[6)]

	商店数（店）	年間販売額（百万円）	売場面積（㎡）	平均店舗規模（㎡）	吸引度（万円）	吸引度指数
1994年	550	23,291	31,182	56.7	79.6	1.05
2004年	453	25,502	46,419	102.5	94.1	1.20
増減率(%)	△17.6	9.5	48.9	80.7	18.1	

（出所）『商業統計表』（各年版），「住民基本台帳」（各年３月末人口）より著者作成。

いるなかで，年間販売額は増加し，その結果として福江地区の吸引度および吸引度指数が大きく上昇している。つまり，大型店開店前には地元（地区内）の小売店で買い物を済ませていた４地区（富江地区・玉之浦地区・三井楽地区・岐宿地区）の住民が，郊外大型店の開店後は福江地区郊外まで買い物客として数多く訪れるようになったことで，福江地区の吸引度と吸引度指数が押し上げられたのである。

郊外大型店出店のインパクトをもう一つの指標からみてみよう。長崎県が実施した県民の買い物動向実態調査によれば，合併後の五島市民全体の買い物場所（全商品平均）は，中心商店街18.7%，郊外大型店34.1%，その他福江地区内14.3%であり，郊外大型店での買い物比率が最も高くなっている（長崎県2013, pp.131-132)。

居住地別に買い物場所をみると，福江地区住民は郊外大型店37.3%：中心商店街29.1%，富江地区住民は郊外大型店36.8%：中心商店街9.8%，玉之浦地区住民は郊外大型店44.3%：中心商店街11.1%，三井楽地区住民は郊外大型店45.5%：中心商店街9.8%，岐宿地区住民は郊外大型店51.2%：中心商店街14.3%，奈留地区住民は郊外大型店2.5%：中心商店街5.4%である。福江島へ買い物に行くために船舶を利用しなければならない奈留地区住民を除くすべての地区住民で郊外大型店利用がもっとも高くなっており，郊外大型店の吸引力が福江島全体に及んでいることがわかる。

図9－2　五島市における居住地別買い物場所比率

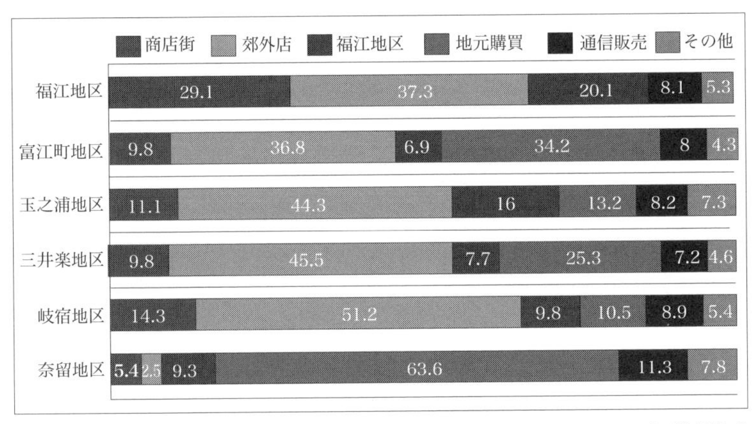

（出所）長崎県（2013）pp.131～132より著者作成。

第4節　中心市街地活性化へ向けて

1．条例による大型店出店制限

上述のように，1995年と1998年に大型店の福江地区郊外への出店がみられたが，２店舗とも地元資本による出店であった。２つの大型店の郊外出店により中心市街地が大きな打撃を受けたのは事実であるが，島外資本ではなく島内資本であったことが緩衝材として作用して，出店に対する批判の高まりを幾分か和らげる方向に作用したといってよいかもしれない。

こうしたなかで2000年代になると状況が急転し，複数の島外資本による大型店の郊外出店計画の情報が入ってきたのである。島外小売企業の進出気運の高まりを察知した福江商工会議所は，既存小売業者の適正な事業機会の確保のために，農業振興地域の農振除外と転用による開発を行わないことを求める要望書を五島市に提出した（2006年12月）。さらに，翌年２月，島外資本の大型店が進出すれば中心市街地の衰退および地域コミュニティの崩壊を引き起こすとして，福江商店街連盟で郊外への大型店出店反対署名活動を実施した。こうした動きを受けて，2007年９月，五島市は，特定用途制限地域内における建築物の制限条例を制定し，物販店等の建築床面積を1000㎡以下に制限することとなったのである。

だが，その後も島外資本による進出計画情報が後を絶たなかったことから，地元有志は，大型店出店反対の署名活動を実施するとともに，建築規制500㎡以下への強化と農振地規制の厳格化を求める請願書を五島市議会へ提出した。しかしながら，規制強化の動きに対して地域住民の理解が得られず（賛成よりも反対意見が多かった），島外資本参入の流れを阻止することができなかった。結果として，2009年にスーパーマーケット，2011年にディスカウントストアとドラッグストアがオープンしている。いずれの店舗も条例によって制限された売場面積を下回る規模での出店であった[7)]。

2．福江商店街巡回バスの運行（2003年8月～2021年9月）

福江商店街巡回バス事業（事業主体：福江市中心商店街巡回バス運行協議会）は，買い物客の利便性が向上することで中心市街地への集客を図り，商店街活性化とまちなかの魅力アップに寄与することを事業目的として，2003年8月から運行が開始された。巡回バスは，長崎県タクシー協会下五島支部所属のタクシー会社4社（2016年度から3社）に委託し，各社が月ごとに交代しながら運行されている。商店街中心部の共同駐車場を起点として，9人乗りのジャンボタク

写真9－1　福江商店街巡回バス

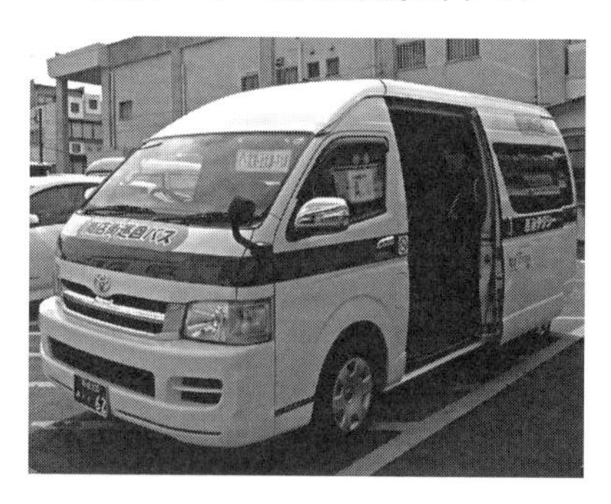

写真9－2　巡回バス案内板

（出所）写真2点とも著者撮影（2015年2月17日）。

図9－3　巡回バス，乗合タクシーの利用者数推移

（単位：人）

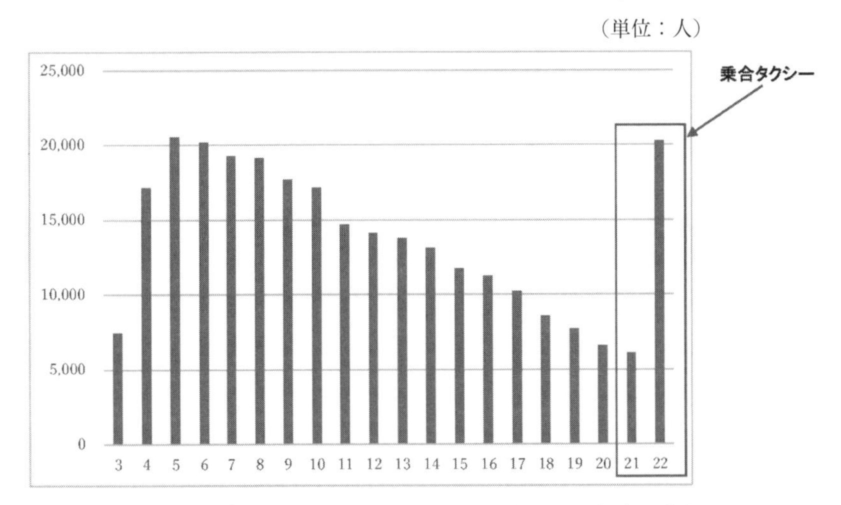

（注）2003年度～2020年度は巡回バス，2021年度～2022年度は乗合タクシー。
2003年度は8月～3月の8か月間，2021年度は10月～3月の6か月間
乗合タクシーは福江地区のみの利用者数である。

（出所）五島市提供資料より著者作成。

シー1台で4つのコースを約20分で巡回する（各コース1日に3～4便，運賃大人200円・子供半額）。4つのコースでは，商店街の後背地にある交通空白地域や道幅が狭く急な坂が続く住宅地などを通るように設定され，大通りを通行する既存のバス路線との競合を回避している。また，主たる利用者である高齢者に配慮して，商店街へ直行するのでなく，病院や公共施設を経由するルートが組まれている。バス停はなく任意の場所で乗降可能であり，商店街での買い物を誘導するために商店街駐車場券を運賃の一部に充当できる。

福江商店街巡回バスの利用者実績をみると，初年度の2003年度（8月～3月）7,461人，2004年度17,170人，開始3年目の2005年度20,564人と推移し，この年度がピークとなった。2006年度から2008年度まで微減を維持したものの，その後は，商店街に立地していたスーパーマーケットの撤退が影響したのか利用者の落ち込みが続き，2018年度は初めて1万人を下回る8,570人まで減少してし

まった（図9－3参照)。しかも，巡回バスの運行が中心市街地（五島市商店街）の集客増加に寄与しているとはいいがたく，集客力において郊外大型店との格差がますます広がっていったのである。

第5節　地域活性化の取り組み－新たな移動手段の提供

五島市では，離島という地理的特性を要因として，相対的に速いスピードで人口減少と高齢化が進展している。急激な人口減少は，地域全体の絶対的購買力を大きく低下させて，地域の小売商業構造を激変させる。具体的には，これまで分析してきたように，パイの奪い合いの結果として発生した中心市街地の衰退とその反射としての郊外店における吸引力の拡大である。また，高齢者比率の上昇は，買い物難民や医療難民などの社会問題を本土地域よりも早期に表面化させる。いうまでもなく買い物難民は，日常生活を維持していくために不可欠な商品（生鮮食料品など）を購入する小売店が徒歩圏内に存在しない状況に置かれた住民である。後者の医療難民は，自家用車などの移動手段がなく，バスなどの公共交通機関の運行本数が極端に少ないために医療機関まで自力で行くことが困難な状況に置かれた住民である。

この2つの新たな社会問題は，これまで取り組まれてきた中心市街地活性化政策だけではカバーしきれない課題が含まれている。五島市の顔としての中心市街地を活性化することはもちろん重要であるが，少子高齢化の進展に歯止めがかからない状況下では，高齢者の外出機会を増やして市民間の交流を活発にし，地域全体を元気な街にするというより大局的見地に立った地域活性化策が求められる。

こうした現実認識を踏まえて，五島市は，2017年10月から巡回バスの2つの運行コースにおいて，大型店が立地する郊外地域を経由するルートに変更した。このルート変更は，住民側からの要望があっただけでなく，停滞している巡回バスの利用者を増やしたいという五島市の思惑があった。しかしながら，利用者減少の流れを食い止めることはできず，2020年には巡回バスの利用者が6,581

人（ピーク時の3分の1）となってしまった（図9－3参照）。郊外地域を経由するという思い切った改革を打ち出したにもかかわらず利用者の増加には結びつかなかったのである。

もともと巡回バスは中心市街地活性化（来街者の増加）を主たる目的として開始されたが，高齢者に配慮して当初から病院や郵便局，市役所などを経由するルートが設定されていた。つまり，買い物難民や医療難民という社会問題への対応も意図されていたのである。それにもかかわらず利用者が減少していったのは，定時かつ定路線という運行スタイルにあったと考えられる。地域住民が巡回バスに乗るためには，時刻表どおりの時間（定時）に，運行ルートに沿った場所（定路線）でバスを待たなければならない。巡回バス利用者の視点に立てば，時間と場所に大きく制約されるので，結局のところ路線バスと何ら変わりがないことになる。

結果的に福江商店街巡回バスは2021年9月をもって廃止されることとなった。その代替手段として，同年10月から電話予約制乗合タクシー「チョイソコごとう」（以下，乗合タクシーという）の運行が始まった[8]。この新しい交通システムの最大の特性は，定時・定路線ではなく，利用者からの依頼に基づいて運行するオンデマンド型であるという点である。地域住民は，交通手段の利用に際して時間と場所に制約されず（ただし事前予約は必要），一般のタクシーよりも低料金（一律300円）で利用できる。

写真9－3　乗合タクシー（チョイソコごとう）

（出所）五島市提供。

写真9－4　乗合タクシー停留所

（出所）著者撮影（2023年8月21日）。

乗合タクシーは，2020年10月に五島市富江地区で試行開始された後，翌年４月から岐宿地区へ，10月から福江地区へと運行地域が拡大している。2023年10月現在で富江地区と岐宿地区に各1台，福江地区に5台，合計7台が走っており，停留所は市内に約1500か所設置されている[9)]。富江地区と岐宿地区のほか，福江地区を３つの運行エリアに分割し（合計５エリア），路線バスとの競合を避けるため運行エリアをまたぐ移動には追加料金（300円）を必要とする。乗合タクシーは地区内移動，路線バスは地区間移動と棲み分けが行われている。

図９－３は，巡回バスと乗合タクシーの利用者数の推移である。2005年に最大の利用者数（２万人強）を計上した巡回バスであったが，最終年（2020年）にはその３分の１まで減少してしまった。巡回バスと入れ替わる形で2021年から登場した乗合タクシーであるが，初年度は半年の運行期間（10月～３月）にもかかわらず６千人強が利用している。翌2022年の利用者数（福江地区のみ）は２万人を超えており，巡回バスのピーク時に迫る利用者数となっている。新交通システムが本格稼働してからわずか１年半であるが，その利便性が順調に市民に認知されているといってよいだろう。社会的弱者（買い物難民や医療難民）の外出機会を増やすツールとして定着することで，五島市内（中心市街地および郊外店）の賑わいが創出され，住民間の交流が促進され，地域活性化に結実することを期待したい。

注

１）2018年７月に「長崎と天草地方の潜伏キリシタン関連遺産」が世界文化遺産に登録され，五島市関連の構成資産として「久賀島の集落」と「奈留島の江上集落（江上天主堂とその周辺）」がある。

２）筆者は福江商工会議所の協力のもと五島市商店街の実態を把握するために商店主を対象としたアンケート調査を実施した（2015年２月24日～３月６日）。詳細は西島（2016）を参照されたい。

３）福江商工会議所の調査資料による（2014年５月調査）。なお，筆者が2023年８月に実施した福江商工会議所へのヒヤリング調査によれば，空き店舗は2014年調査からさらに52店舗増加し，空き店舗率は40％に達している。つまり，商店街の全店舗のうち半数近くが空き店舗でありまさにシャッター通りと化している。

4）2023年８月現在では，新栄町通り37.7%，本町通45.5%とさらに悪化している（福江商工会議所へのヒヤリング調査）。

5）長崎県（2013）によると，五島市民の地元購買率は長崎県自治体の中でもっとも高く，2012年で86.5%であった。いうまでもなくこれは，離島という地理的要因（孤立性，閉鎖性）が大きく作用している。ちなみに，長崎県における他の離島自治体をみると，対馬市81.0%，新上五島町80.1%，壱岐市79.9%であり，いずれの自治体も高い地元購買率を示している。

6）各数値は自動車・自転車小売業および燃料小売業を除く。
1994年の自動車・自転車小売業の年間販売額，売場面積は秘匿値のため推計値。
平均店舗規模：１店舗あたりの売場面積。
吸引度：行政人口１人あたりの販売額。
吸引度指数：商業人口/行政人口，1を超えていると流入（吸引）都市である。

7）以上の島外資本による郊外大型店出店の動きと条例制定などに関する経緯については，福江商工会議所資料（2011年４月18日）による。

8）チョイソコは株式会社アイシンが開発した乗り合い送迎サービスであり，全国の多数の自治体で導入されている。詳細はアイシンＨＰを参照のこと。

9）五島市商工雇用政策課へのヒヤリング調査による（2023年８月21日）。なお，「チョイソコごとう」は，五島市からの運行負担金（１台あたり660万円）を受けて，長崎トヨペット，ダイハツ長崎販売，アイシンの３社が運行に関与している。

参考文献

(1) 西島博樹（2016）「地方都市における中心商店街の実像と商店主の経営意識―長崎県平戸市と五島市でのアンケート調査から」『東アジア評論』第８号。
(2) 宮澤仁（2005）「五島列島・福江島における近年の小売業と消費者購買行動の変化」平岡昭利編『離島研究Ⅱ』海青社。
(3) 経済産業省『商業統計調査』各年版。
(4) 五島市総務企画部（2023）『2023年版五島市市勢要覧』。
(5) 五島市地域振興部（2023）『令和4年五島市観光統計』。
(6) 総務省『国勢調査』各年版。
(7) 中小企業庁（2022）『令和3年度商店街実態調査報告書』。
(8) 長崎県（2013）『平成24年度消費者購買実態調査報告書』。

（西島博樹）

第10章　大分県臼杵市－石仏の里から食文化創造の町へ

わが国の観光は，戦後の高度成長を反映した団体旅行中心の市場から，モータリゼーションの発達を通じて個人・小グループ中心の市場に変容した。また，社会の成熟化に伴う価値観の多様化を反映して，旅行目的や観光対象の細分化が進んだ。近年は，2011年の東日本大震災や新型コロナウイルスの感染拡大を契機とする地方移住の加速やSDGsの達成に向けた社会変化が起きており，観光地もこうした社会変化への対応を求められている。本章で紹介する大分県臼杵市は，こうした社会変化に敏感に反応し，シビックプライド[1)]を醸成しながら，経済的価値のみにとらわれない地域活性化に取り組んでいる。

第1節　臼杵市の特色と地域課題

1．臼杵市の概要と産業構造の変化

臼杵は大分市の南に位置する。2005年に大野郡野津町と合併した，人口3.4万人規模の小都市である。大分市とは特急列車または東九州自動車道経由約40分で結ばれている。「臼杵といえば石仏」と言われるように，臼杵磨崖仏群（1962年国重要文化財，1995年国宝指定）が代表的観光資源として認知されてきた。近年は「住みたい田舎ベストランキング（宝島社）」で連続して上位にランキングしている[2)]。また，2021年には，ユネスコ創造都市ネットワーク（以下，UCCN）の食文化部門[3)]に加盟が認められた豊かな食文化を持つことでも注目されている。

歴史的には，1562年にキリシタン大名大友宗麟（1530-1587）が築城し，明朝中国，琉球王国，ポルトガルなどと交易して栄えた国際商業港であった。大友氏の没落後は，1600年に美濃から移封された稲葉藩の可児氏が味噌の製造を始

めており，今日まで12代に渡って守られている。幕末には，小手川酒造（1855～），久家本家（1860～），フンドーキン醤油（1861～）などの醸造業が生まれた。こうした醸造業は，ドレッシングの製造や海外輸出，ハラール対応など時代の変化に対応して今日も活躍している。

大正期に臼杵鉄工所（1919－1978）によってはじめられた造船業は，臼杵のもう一つの主要産業である。1970年代後期の不況で一時途絶えたが，臼杵造船所（1988～）として再建され，フェリーやタンカー，自動車運搬船などを多く受注している。

かつては福良地区にサントリーのウイスキー工場（1947－1977）と日本専売公社のたばこ工場（不明－2005）があり，多くの従業員を抱えていたが，その跡地には1977年，2006年に半導体工場が相次いで建設され，今日では米アリゾナ州テンピに本社を持つアムコーテクノロジーの日本法人本社兼製造拠点に成長している。

2．臼杵市の地域課題と総合戦略の特徴

臼杵市が直面する最大の課題は，他の地方都市同様に人口減少と少子高齢化であり，第2次臼杵市まち・ひと・しごと創造総合戦略における人口ビジョンでは2025年人口35,898人，2040年31,600人，2060年27,500人の維持を目指したが，2023年1月現在，すでに34,507人と目標を下回っている。

第2期総合戦略（2020－2024年）では，他の自治体と同様に，①仕事の創出，②人の流れの創出，③子育て環境の整備，④魅力的な地域づくりを柱としているが（図10－1），最も特徴的なのは，①における「ほんまもん農業・漁業・林業・商業の振興，雇用の拡大」である。「ほんまもん」とは，「本来の農業の姿」，「本体の味がする農産物生産」という意味が込められた言葉であり[4]，そのための有機農業の推進，自然エネルギーの活用，天然漁業の推進や6次産業化を通じて，400年の歴史を持つ商業の町の再興，前述の100年企業と新規企業の相乗効果による活力あるまちづくりを目指すものである。「有機の里」であることは，住民のシビックプライドを醸成するだけでなく，国内外へ広く独自

図10－1　臼杵市まち・ひと・しごと総合戦略（人口ビジョン）における目標人口

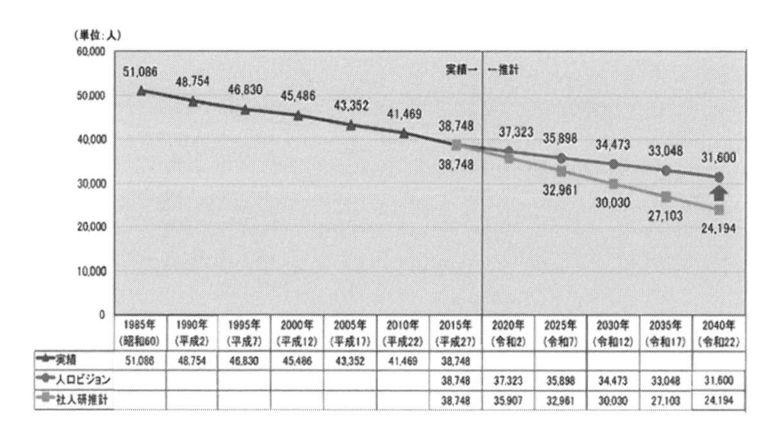

	1985年(昭和60)	1990年(平成2)	1995年(平成7)	2000年(平成12)	2005年(平成17)	2010年(平成22)	2015年(平成27)	2020年(令和2)	2025年(令和7)	2030年(令和12)	2035年(令和17)	2040年(令和22)
実績	51,086	48,754	46,830	45,486	43,352	41,469	38,748					
人口ビジョン							38,748	37,323	35,898	34,473	33,048	31,600
社人研推計							38,748	35,907	32,961	30,030	27,103	24,194

（出所）「臼杵市第２期まち・ひと・しごと創生総合戦略」(2020)，ｐ６。

の食文化として伝えられることにより，交流人口の拡大，関係人口や移住・定住者の獲得という人口減少社会における重要な柱として戦略化されている。

しかし，有機農業の維持・普及には，若い世代を中心とした就農の促進が必要となっている。市では，2016年から有機農業へ就農を前提とした地域おこし協力隊を継続して募集して，課題解決に臨んでいる。

第２節　進化する観光とまちづくり

１．景観の保全から観光まちづくりへ

臼杵市では，「臼杵石仏および周辺地区」，「臼杵城址および旧城下町」の２地区を中心に景観保全に取り組んできた。1987年には両地区を「臼杵市歴史環境保全条例」の対象地区に指定し，一般住宅を含む新築・改修の届け出と補助金の交付が制度化された。特に旧城下町では，稲葉家下屋敷の整備・一般公開（1991年），二王座歴史地区の整備（1993年），八町大路（はっちょうおおじ）の歴史的町並みの復元（2002－2003年）[5] などが行われ，徐々にかつての趣を取り戻していった。こうした動きに伴い，市民によるボランティアガイド組織[6] も作られて，観光まち

づくりの広がりがみられるようになった。

2．臼杵の祭りとイベント

臼杵の祭りで最も古いもののひとつは「臼杵祇園祭」で，1643年から380年も続いている。祇園祭神事の締めを飾る山車は町八町と呼ばれる市中８町のうち２町ずつが４年周期の当番で運営してきた。また，日本最大の石仏群である国宝臼杵石仏での「国宝臼杵石仏火祭り」は，約700年前から行われてきた「虫送り」を1959年から市が観光イベント化したものである。他にも「臼杵城址桜まつり」が戦後に催されるようになった。また，起源は定かではないが，祇園祭のお囃子の練習が行われる６月中旬から７月中旬の土曜日の夜には，目抜き通りである八町大路で「夜市」が開催され，子供たちも夜の外出が許される。こうした古くからの祭りは，どちらかというと住民向けのものであり，「石仏火祭り」を除けば，遠方からの観光客誘致の性格は薄かった。

観光客誘致への指向性が鮮明になったのは，後述する「うすき竹宵（1996年～)」が契機であると言える。折しも前年1995年に臼杵磨崖仏群（臼杵石仏）59体が国宝に指定されている。

日本各地では訪日観光客誘致のためのイベントとして「ひな祭り」が活用され，乱立した。一方，臼杵では，質素倹約のため贅沢な雛人形は飾れないという嘉永２年（1849年）の文献をもとに和紙で作った「立ち雛」を飾る「うすき雛めぐり（2006年～)」が始められた。また，江戸時代に八町大路の商店街と争った平清水地区の商人たちを称したと言われる「赤猫」を福良天神に祀る「赤猫神社」が創建され，「うすき赤猫まつり（2004年～)」が４月29日・30日に開催されるようになった。「赤猫」は，「うすきの赤猫」「赤猫根性」など悪い意味でつかわれてきたが，それを逆手取り，かわいい地元の子供たちが赤猫に扮して踊ったり，本格的な神事・式典を行ったりする祭として開催されている。孫たちの赤猫姿を見ようとする祖父母の姿も数多くみられる。他にも臼杵石仏のある深田地区では，「石仏の里蓮まつり」が７月中旬の開花期に合わせて催されるようになった。

写真10－１　うすき立ち雛

（写真提供）臼杵市。

写真10－２うすき赤猫まつり

（出所）筆者撮影（2018年４月30日）。

３．「うすき竹宵」－新たな祭りの創造とオープンイノベーション

「うすき竹宵」は，1997年当初，里山保全と竹の有効活用を目的として，「かぐや姫」がテーマの「竹光芸まつり」として始まった。その後，臼杵に伝わる「真名（まな）の長者伝説」「般若姫（はんにゃひめ）伝説」という市民なら誰でもが知る昔話と融合され，「竹ぼんぼり（竹灯篭）」の灯りに浮かび上がる町並みを背景に幽玄な雰囲気で行われる「般若姫行列」が行われるようになった。

当時の後藤市長が，リーフデ号漂着を起源とする「日蘭修好400周年（2000年）」に際してオランダの伝統工芸である蠟燭の活用を提案して生まれたのが「竹ぼんぼり」である。臼杵で生まれたこの「竹ぼんぼり」は，実行委員会のメンバーであった県職員らによって竹田市に伝えられ，「たけた竹灯籠 竹楽（2000年～）」にも活用された。その後も熊本市の「みずあかり（2004年～）」や北九州市の「小倉城竹あかり（2019年～）」などが各地の祭りに伝播したが，こうした動きは，臼杵の実行委員会メンバーによってノウハウが伝えられたオープンイノベーションである。

写真10－3　うすき竹宵

写真10－4　般若姫行列

（写真提供）うすき竹宵実行委員会。

竹ぼんぼりを活用した祭りの運営には多くの人手が必要である。今日では数万本の竹ぼんぼりやオブジェの製作，当日の点灯作業などでは，地元のボランティアだけでなく，地域の外から継続的に祭りを支援する関係人口を生みだしている。

第3節　ユネスコ食文化創造都市―新たなブランディングへの挑戦

1.「有機の里うすき」と「ほんまもん」の食文化への挑戦

臼杵市は2005年に大野郡野津町と合併し，現在の臼杵市になった。野津町は大分県を代表する農業地域であり，なかでも有機農法，循環農法に1980年代から取り組んできた地域である[7]。また，国内外から多くの農泊体験客を受け入れていることでも知られる。

合併時の後藤市長は，環境問題に強い関心を持っており，「有機の里づくり」をめざして，有機農業の第一歩である土づくりを推進するため2010年に「臼杵市土づくりセンター」の運営を開始した。草木を主原料とする「うすき夢堆肥」[8]を製造・販売し，化学肥料や化学合成農薬を使わずに栽培した圃場として市長が認証する「ほんまもん農産物認証制度」を2011年から開始した。その圃場で生産される「ほんまもん農産物」は，年間約60品目の少量多品目種栽培で，市内のスーパーだけでなく，大分市の小売店にも出荷されており，トキハデパート本店地下には「ほんまもん農産物コーナー」が設けられている。2015年からは地元農林水産物を活用し，可能な限り添加物を使用せず，丁寧に作られたスローな加工品を「うすき地物」として市が認証している。こうして「ほんまもん」「うすきの地もの」は，安心安全な食の「臼杵ブランド」として確立しようとしている。

「ほんまもん農産物」「うすきの地もの」は，地域コミュニティの活性化にも役立っている。市内海辺地区の田口鈴江さん（写真）は，「三色すみれ企業組合」を結成し，地域の老人クラブの仲間たちと「ほんまもん農産物」を使った漬物づくりを行っている。企業組合と言っても，来たいときに作業場に来て，仲間たちとおしゃべりしながら作業をしている。

写真10－5　田口さんとほんまもん農産物の漬物

（出所）筆者撮影。

売り上げの２割は，大分県共同募金会に寄付して，地域福祉にも貢献している。年に２回の仲間との旅行は，何よりの楽しみだという。また，若者や民宿を営む住民と協力しながら，体験観光としても活動を提供している。活動の目的は，楽しむことであり，収益ではない。

しかし，一方で人口減少と一次産業従事者の減少は深刻である。特に有機農産物生産者の維持・拡大は，「臼杵ブランド」の確立・維持に必須である。市では，2016年から地域おこし協力隊[9)]に「有機農業協力隊」を設け，継続的に募集することで就農と価値向上，販路拡大に努めている。2023年度は７名体制で臨んでおり，①有機農業研修，②集荷・搬送，③ふるさと納税返礼品等による販路拡大，④県内外のイベントでのほんまもん農産物と取り組みのPR，⑤地域活動（小中学生の農業体験，保育園での食育，オーナー農園の手伝い）などの活動を行っている。なかでも，後述する「うすきファーマーズ・マーケットひゃくすた」は，新たな関係人口を構築し続けており，注目すべき活動である。

2．臼杵石仏の変化－観光施設から交流拠点へ

臼杵市の主要な観光施設としての役割を果たしてきた臼杵石仏は，観光市場の個人化に伴い，1972年の年間約30万人をピークに年々来場者数が減少し，11万人前後で推移している（図10－2）。市の「第3次観光振興戦略（2021年）」（対象年度2021－2023年）では，観光の課題として，①来訪者の高齢化（1/4が60代で若年・ファミリー層が少ない），②観光情報発信力の弱さ（野津地区の農泊・有機農業，市内の多様な産業資源の認知度が低い），③低い宿泊率（県内温泉地への宿泊が多く，臼杵泊は2割未満），④低いヘビーリピート化（初回来訪者45%，リピーター3割程度，5年以上の再訪間隔），⑤低い観光消費（日帰り客平均約2,000円/人，宿泊客は宿泊費を除き約4,500円/人程度，特に体験コンテンツが不足）などを指摘している。

市では，市場ニーズにマッチする歴史文化的価値の再構築，独自の産業資源の観光商品化，体験・発見型観光の提供，若年層のターゲット化，市民を巻き込んだ観光受入態勢の構築などの基本方針を打ち出し，産業間連携，来訪者と市民の交流拡大，消費の拡大によって持続的発展が可能な観光まちづくりを目指している。

図10－2　臼杵石仏入場者数の推移（1992－2019年度）

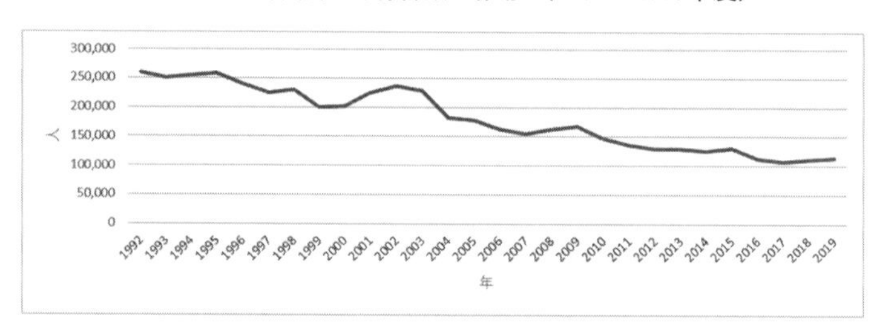

（出所）臼杵市「第1次（2013）第2次（2018）第3次（2021）臼杵市観光振興戦略」から作成。

一方，地元の観光事業者や有機農業に取り組む人たちからも，新たな取り組みが始まっている。「うすきファーマーズ・マーケットひゃくすた」は，2017年11月5日に当時の地域おこし協力隊員らの自主活動として始められた。以降，毎月第1日曜日に臼杵石仏に隣接する石仏公園で開催されている。「土（農家）から食卓（お客さん）へ，新たな価値を見いだすストーリー的朝市」というサブタイトルが示す通り，生産者と消費者との関係構築を重視している。「ひゃくすた」は百姓New Standardの略であり，これまでの生産と出荷という農家の役割を，より広く直接的に消費者にまで押し広げようとする新しい在り方を目指している。また，有機農法や循環農法による「ほんまもん農産物」とその加工食品を提供することに徹していることが大変重要である。野菜の販売の他，朝食やおやつ・加工品，ドリンクなど約20事業者が出店しているが，すべて「ほんまもん農産物」，化学合成農薬，化学肥料を使わずに育った野菜を使用し，調味料や副材料もオーガニックやスロー（伝統的）な製法で作られたものに限られる。露天での開催となるため，荒天，台風など天候に左右されるが，市内だけでなく大分市などからもヘビーリピーターが来訪しており，なかには大分市内のレストランのシェフもいる。

写真10－6　うすきファーマーズ・マーケットひゃくすた

（出所）ひゃくすたFBページ　https://www.facebook.com/usuki100sta/

表10－1　「うすきファーマーズ・マーケットひゃくすた」の多彩な商品ラインアップ（一例）

農産物	白米，玄米，生きくらげ，ニンニク，四角豆，ゴボウ，そうりんカボチャ，ミニカボチャ，バターナッツ，はちみつ，ミツロウ，金胡麻，ヘチマ，ヘチマタワシ，ナス，オクラ，とうがらし，山椒の苗，絹皮なす，ゴーヤ，おかわかめ，大葉，パプリカ，ぶどう，ゴーヤ，イチジク，空芯菜，青唐辛子，シカクマメ，黒ニンニク，マコモ茶，梅干し，冷凍キウイ・椎茸，空芯菜，ツルムラサキ，緑丸茄子，キュウリ，雪化粧カボチャ，インカベリー，じゃがいも〈グランドペチカ，アンデスレッド，ながさき黄金，ドラゴンレッド，デジマ〉，ダビデの星，丸オクラ，ピーマン
加工品	乾燥パウダー〈人参・葉人参・ほうれん草・キャベツ・ビーツ〉，キウイソーダ，梅酵素ドリンク，ジャガスティック，ポップコーン，発酵ごはん，発酵無国籍カレー，白味噌，赤味噌，塩麹，発酵スイーツ，米粉のマフィン，米粉のクッキー，スコーン，季節野菜のケークサレ，いちじくのケーキ，レモンのカトルカール，ブルーベリークランブルケーキ，レモンとピスタチオマフィン，コーヒーとクリームチーズのマフィン，いちじくのコンフィチュール，ブルーベリーのコンフィチュール，ヨモギティー，ヨモギシナモンティー，ヨモギカモミールティー，カモミールティー，トゥルシーティー，ヨモギバー，ローゼルお豆腐ケーキ，太刀魚のフライ，さばフライ，あじの干物，アカモク，クロメ，ギョロッケ，サザエ，ヒオウギ貝，タコ，魚と野菜のおかずセット，アカモクスープ，ジンジャーショット，ジンジャーシロップ，ジンジャーパウダー，ジンジャーエール，クラフトコーラ，コーヒー，コーヒー豆，猪肉チップ，鹿肉チップ，猪骨

（出所）ひゃくすたFBページ。（掲載日：2023年９月２日，閲覧日：2023年９月３日）
https://www.facebook.com/usuki100sta/

こうした取り組みは，1990年代イタリアでのスローフード運動の取り組みに大変良く似ている。例えば，フィレンツェ郊外のワイン生産地であるキアンティでは，定期的にスローフード・マーケットを開催し，ヘビーリピーターと新たなスローツーリスト[10)]の獲得に成功している。また，スローフードやスローな伝統産業を含めて小都市の環境と文化の保全を目指したスローシティ運動とも結びついて，人口減少に歯止めをかけた小都市も生まれている。臼杵市の場合，今後の規模拡大には，有機生産者の増加が必要だが，期待は大きい。

観光客の約６割が訪問する臼杵石仏には，代表的土産品の臼杵煎餅で知られる1919年創業の後藤製菓[11)]と本店「石仏会館」，高度成長期から団体旅行を受け入れてきた「石仏観光センター」の2軒の商業施設がある。

石仏観光センターでは，2015年から江戸時代19世紀初頭に存在した稲葉藩の御用窯「臼杵焼」の復活に取り組んできた。臼杵焼を現代的なデザインで蘇らせ，Beams Japan，九州堂，日本百貨店など東京・京都・神戸の訪日客を対象とした店舗の他，大分・別府・湯布院でも販売している。2023年2月には，陶芸体験が可能な工房とギャラリー，喫茶室を備えた「USUKI SARAYAMA」を開設した。喫茶室では，作品の購入だけでなく，実際に作品を使って中国茶や県内の稀少茶，ほんまもん農産物のスイーツを味わうことができる。経営者の宇佐美氏によると，同施設の利用者は圧倒的に女性が多く，20－30代の小グループが中心であるという[12]。また，奥様の友香さんによる「USAMAI fine food and cuisine」は，ほんまもん農産物を使った「お野菜弁当」の販売や地産地消にこだわったケータリング，ウエディングのサービスも開始した。

写真10－7　USUKI SARAYAMA

（出所）筆者撮影（2023年8月19日）。

3．ユネスコ食文化創造都市への登録と食のネットワーク構築の取り組み

「和食（Washoku）」のユネスコ世界無形文化遺産登録（2013年）は，海外での日本食ブームを加速しただけでなく，国内でも伝統食や郷土料理を見直し，伝承しようとする潮流を生みだした。2001年全国に先駆けて「地産地消宣言」を行った山形県では，庄内地区を中心に生産者，卸売業，小売業，飲食・宿泊

業が連携した「食の都庄内」のブランド化に取り組んだ。2010年にはユネスコ創造都市ネットワーク（UCCN）食文化部門への加盟申請を発表し，2014年に加盟が認められた。

臼杵では，「土づくりからこだわる」循環型有機農業の推進，400年以上続く発酵・醸造文化，江戸時代の質素倹約の精神に基づく郷土料理の現代への継承を「臼杵のガストロノミー」の3つの柱として，食を中心とした価値の集約と地域ブランディング，国内外へのネットワークの拡大を推し進めている。

国際的には，2021年1月にUCCN加盟準備を開始し，同年12月に加盟を認められた。2022年には，イタリア・トリノで毎年開催されるスローフードの国際見本市「テッラ・マードレ（Terra Madre），サローネ・デル・グスト（Salone del Gusto）」[13]に市として参加し，プロモーションを行った。結果，国際スローフード協会が運営するイタリア・ブラ市の「食科学大学（Università degli Studi di Scienze Gastronomiche）」からは，インターンシップとしてオランダ人学生を受け入れ臼杵市の有機農家で約2ヶ月間の研修を行った。2023年8月には，フランスで有機学校給食の普及に取り組むCPPフランスからシェフを招き，臼杵の食材を使ったレシピの開発と管理栄養士，調理師の研修会を行った。

日本スローフード協会とも取り組みが進められている。2022年10月から2023年1月まで6回にわたる「スローフードアカデミー2022」を開催し，国内ネットワークの強化と地域へのノウハウの吸収を行った。2023年は，国内初の開催となる「テッラ・マードレ・ジャパン」（9月30日宮城県福谷市で開催）に前述の「ひゃくすた」が出展参加することになっている。

市産業観光課食文化創造都市推進室に事務局を置く「臼杵食文化創造都市推進協議会」では，8つのプロジェクトを進めている（図10－3）。今後は食文化の更なる掘り起しと保全，伝承，観光まちづくり，交流人口と関係人口の拡大への活用が期待される。

図10－３　臼杵食文化プロジェクト

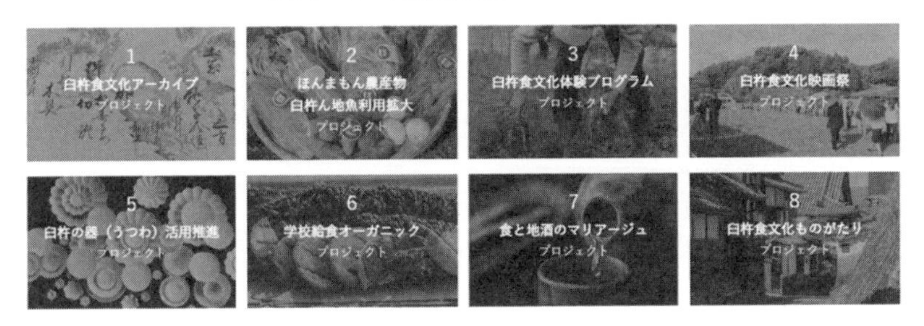

（出所）臼杵食文化創造都市推進協議会HP（閲覧日：2023年８月15日）
https://gastronomy－usuki.com/project

４．おわりに－「移住したい町」として，関係人口と移住者の活躍する町

臼杵には100年企業が多い。なかでも醸造業は400年以上の歴史を持つ。長く厳しい時代を生き抜いてきた食文化は，質素倹約の習慣を生み，現代においては環境と生活の質を重視したライフスタイルに沿った未来像を自らデザインしている。そうした思想に共鳴して移住する，あるいは関係人口化する人々が増えている。「移住したい町」の上位にランクされ続ける理由は，そこにあるのだろう。本章で紹介した「ひゃくすた」や「スローフードアカデミー」なども，臼杵への移住者や関係人口に大きな影響を受けている。「あるべき食」「あるべき生活」への共感が，本格的人口減少時代に立ち向かう「食文化創造都市臼杵」の未来を創造していく。

注

１）シビックプライドとは，「市民が都市に対して持つ自負と自愛」であり，自分自身が関わって地域を良くしていこうとする，当事者意識に基づく自負心を指す。（伊藤香織他監修（2008）『シビックプライド―都市のコミュニケーションをデザインする』宣伝会議，p.6-7）

２）「2023年版 第11回住みたい田舎ベストランキング」では，「３万人以上５万人未満のまち」部門の総合ランキングで第２位。

３）創造的地域産業の振興，文化的多様性保護，持続可能な開発に貢献することを目的に，認定都市同士が，国際的な連携と相互交流を行うことをユネスコが支援する取り組み。食文化（鶴岡市，臼杵市）のほか，文学，映画（山形市），音楽（浜松市），クラフト＆フォークアート（金沢市，丹波篠山市），デザイン（神戸市，名古屋市，旭川市），メディアアート（札幌市）の７つの分野がある。
※（　）内は日本の認定都市。

4）佐藤（2022），p.27。

5）アーケード撤去，電線埋設，石畳敷設，街路灯の設置，モニュメントの設置などが行われた。

6）うすき町並みガイドの会，うすきタウンツーリズム研究会，臼杵石仏ボランティアガイドの会，（幽）うすきミワリーガイド（妖怪話を中心とした案内を得意とする）の４団体がある。

7）赤峰勝人氏（1934～）による「なずなの会（1986年～）」が草・虫・菌を敵とせず，化学合成農薬・化学肥料を使用しない循環農法に取り組み，多くの農業者を輩出し続けている。

8）草木類８割，豚糞２割を主原料として使い，６ヶ月かけて発酵完熟させている。市民は個人でも少量を安価で購入できるため，庭先野菜も有機栽培が可能である。

9）都市地域から過疎地域等の条件不利地域に住民票を移し，地域課題の解決に取り組みながら，その地域への定住・定着を図る総務省主幹の取り組み。2022年現在，全国で6,447人が登録されており，2026年までに10,000人の登録を目指している。

10）自らの価値観と興味に沿って観光体験を選択し，ゆとりをもって旅をする観光者を指す。

11）臼杵煎餅の手塗体験，有機生姜を使った新商品「生姜百景」などに取り組んでいる。

12）2023年８月19日のインタビューによる。

13）国際スローフード協会が２年に１度，イタリア・トリノで５日間にわたって開催する，世界最大級（2022年は35万人が参加）の食の祭典。世界中の生産者，学者，活動家が集まり，「世界生産者会議」を開催する。150カ国以上からスローフードが出展される。

参考文献

(1) USUKIYAKI HP（2023年８月14日閲覧）https://usukiyaki.com/

(2) 臼杵市（2020）「第2期臼杵市まち・ひと・しごと創生総合戦略」。

(3) 臼杵市HP「有機の里うすき『ほんまもん農産物』」（2022年６月14日更新）（2023年８月14日閲覧）https://www.city.usuki.oita.jp/docs/2015020500025/

(4) 臼杵食文化創造都市推進協議会(2022)「臼杵食文化創造都市推進プラン（2022年度～2024年度）」。

(5) 臼杵市おもてなし観光課（2021）「第３次 臼杵市観光振興戦略」。

(6) 尾家建生（2022）「鶴岡市と臼杵市に見るガストロノミーツーリズムのマネジメン

ト：２つのユネスコ食文化創造都市の比較」日本観光研究学会全国大会学術論文集，37巻，pp.117-122。
(7) 尾家建生,高田 剛司,杉山 尚美（2023）『ガストロノミーツーリズム－食文化と観光地域づくり』学芸出版社。
(8) 季刊地域（2023）「『ほんまもんの里』づくりで有機学校給食を拡大」『季刊地域』No.53 Spring2023，pp.91-95。
(9) 佐藤一彦（2022）「臼杵市の食文化を守り，伝えていくこと－食文化創造都市として－」,『月刊文化財』(704)，pp27-30，第一法規。
(10) 島村菜津（2013）『スローシティ 世界の均質化と闘うイタリアの小さな町』光文社新書。
(11) 日廻文明・井上直樹編著（2017）『歴史と文化のまち臼杵の地方創生』関西学院大学出版会。

（前嶋了二）

第11章　熊本県熊本市の復興まちづくり

本章では2016年熊本地震からの復興まちづくりについて，しごと・ひと・まち創生総合戦略による地域そのもののブランド化の実践について考察する。

熊本城を有する城下町熊本は，明治期には西南戦争の戦火によって街は焼け野原となったが，戦争後直ちに都市は復興した[1)]。その後1889年４月に発足した熊本市は，同年の明治熊本地震からの復興，1945年の第二次大戦時の戦災からの復興[2)]，そして2016年熊本地震からの復興を遂げてきた。ここでは2016年以降の熊本市の復興まちづくりについて，クリエイティブ経済とイベントの関係に注目して考察することを目的とする。

第１節　熊本市の概要

熊本市中心部は1607年に熊本城が築城し，400年以上の歴史を持つ城下町である。1889（明治22）年4月に市制町村制が施行されたが，熊本市は最初に市制を発足した31市の一つである。当時の熊本城周辺の中心部には陸軍の軍用地が多く占めるなど，戦前の熊本は軍都としての色彩が濃い都市であった[3)]。

明治の初めから，軍施設が設けられる地であったが，熊本洋学校，その後の第五高等学校や旧制の医科大学（現・熊本大学）も立地した。戦後は軍施設用地の跡地として中学・高校・大学といった教育施設として跡地利用されるなど，戦後の復興都市計画において「軍都から学都へ」[4)]と変化していった都市である。

熊本市は第二次大戦までに７回，そして戦後11回町村と合併することで市域を拡大した。それに伴い，2010年には人口は約73.4万人となり，2012年には20番目の政令指定都市へと移行した。

第2節　地方創生総合戦略と地域そのもののブランド化

熊本市が政令指定都市となった2010年代は，全国で人口と地域の活力の維持について議論されてきた。そのきっかけは，2014年5月，日本創成会議の人口減少問題検討分科会が，2040年までに全国約1,800市町村のうちの896市町村が消滅する恐れがある，と発表した[5)]ことにある。

政府は人口減少問題の対策のために「まち・ひと・しごと創生法案」「地域再生法の一部を改正する法律案」の法案を成立させた。当時の石破茂地方創生担当大臣によると，「政府としては，人口の現状と将来の姿を示し，人口問題に関する国民の危機意識の共有を図るとともに，50年後に1億人程度の人口維持を目指す『長期ビジョン』と，人口減少を克服し将来にわたって活力ある日本社会を実現するための5か年の計画を示す『総合戦略』のとりまとめに，全力を尽くして」[6)]いくことを明らかにした。その後，都道府県や市区町村においても地方版の「人口ビジョン」と「総合戦略」が求められることとなったのである。

上述した政府や地方による人口ビジョンで示される目標とその目標を達成するための総合戦略による取り組みは，人口減少の克服と地域の活力を維持することを目的としている。このことは，地域の歴史や文化，自然，産業，生活，コミュニティなどの地域の資産を，人々の体験とつなぐことによって「買いたい」「訪れたい」「交流したい」「住みたい」を誘発することで「地域そのもののブランド化」[7)]を目指すということと同義であるといってよい。そのためここでは，人口ビジョンや総合戦略の具体的な施策を地域そのもののブランド化のための戦略として考えていく。

第3節　熊本市しごとひとまち創生総合戦略

熊本市の人口ビジョンは，2050年に約70万人の人口を維持するという目標が定められた。この目標を達成するために，熊本市は自然減と社会減という両者への対策として「しごと」に力点を置いた，「熊本市しごと・ひと・まち創生総合戦略」が設定された。他の地域の総合戦略の多くが，「まち・ひと・しごと創生総合戦略」という名称であることを考えると，「しごと」を強調していることがわかる。

熊本市の「しごと」に関連するリーディングプロジェクトの一つに「文化・交流の活性化によるくまもと創生プロジェクト」が示されている。これは，歴史的文化遺産の保存と活用，既存イベントの魅力に磨きをかけ，中心市街地や熊本城ホール，熊本城と庭つづきになるシンボルプロムナード等を活用した音楽祭など，エンターテインメント性を重視し，関連するコンテンツ産業などの振興を図るものである。また市民はもちろん，国内外から観光客が訪れる賑わいのあるまちづくりを推進することで，観光関連産業やコンテンツ産業をはじめ，クリエイティブ産業等の活性化・集積する都市を目指すものであった。

しかし，計画を策定した直後の2016年４月14日と16日に発生した熊本地震に見舞われた。地震は28時間の間に最大震度７を２回，震度６が５回，その後の余震は4,000回を超える災害であった。避難者数は最大11万人，住宅被害は13万件を超えていた。そのため復旧・復興に向けた取り組みに尽力することになるが，「2019年度末までにインフラ・施設及び農水産業の復旧が概ね完了するとともに，被災者の住まい再建に一定のめどがつくなど，着実な復旧復興を実現することができ」[8)] たという。

復興期と位置付けた2020年からの第２期「熊本市しごと・ひと・まち創生総合戦略」でも，自然減・社会減対策として，「しごと」に力点を置いた地方創生を目指すことを継承している。交流産業の振興として，観光関連産業の創出とクリエイティブ産業の振興が注目されている。具体的には「企業とクリエイターの連携を促進する取組を実施することで，関連するデザイン産業やコンテンツ産業などのクリエイティブ産業の発展を推進し，これにより新たな『しごと』を創出」[9] することを目指すものである。ここで特筆すべきは音楽祭で活躍するアーティストといった文化産業（狭義のクリエイティブ産業）のみではなく，コンテンツ産業へと拡大・波及を目指している点である。

第4節　流通消費都市とクリエイティブ経済

1．サービス経済化と流通消費都市

ここでは，近年のサービス経済化に伴う都市と流通の関係についてみてみよう。サービス経済化を都市間で比較する際には，各都市の第三次産業の比率に注目することでサービス経済化の進展を確認することができる。しかしここでは，産業分類と都市の関係について考察した流通消費都市指標について注目しよう。かつて阿部（2006）は，1970－2000年の家計消費の推移から，都市の発展パターンが工業都市から流通サービス業を中心とする流通消費都市へと移り変わってきたことを指摘した。

流通消費都市という概念は産業分類を，①生産（工業）都市指標，②流通都市指標，③消費都市指標の３つに分類したものから導出される。①生産（工業）都市指標は第一次産業と第二次産業の鉱業，製造業からなる。②消費都市指標には，サービス業のうち対個人サービス，公共サービス，電気・ガス・熱供給・水道業に加えて小売業・飲食店が組み込まれている。また，③流通都市指標は「卸売活動や，対事業所サービス活動等の流通・サービス機能」を示し消費都市指標は，「小売・飲食業や対個人・公共サービス業などの対消費者向けの活動に特化している」[10] ものである（図11－１）。

流通消費都市指標は，②流通都市指標と③消費都市指標を合わせたものであり，第三次産業のうち不動産と公務を除去したものからなる。阿部（2006）によると，不動産業は都市開発を行うことから重要な役割があることは明らかであるが，物財（消費財と生産財），サービス財の生産・流通・消費という流れの

中で不動産業をどのように位置付けるのかが明らかにできないため除外されているという。同じく除外された指標に公務という純粋な行政活動がある。もちろん行政による都市や流通に関する政策も重要であるが，産業構造の変化から都市の性格づけを行うために除外したという。

図11－1　産業分類と流通消費都市指標への組替え

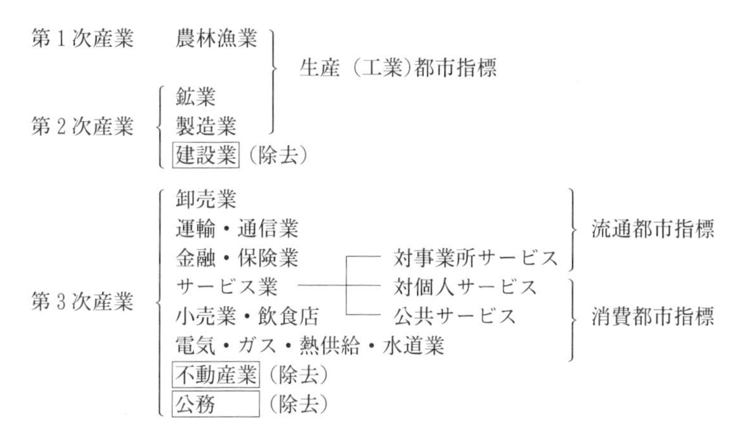

（出所）阿部真也（2006）『いま流通消費都市の時代ー福岡モデルでみた大都市の未来』中央経済社，p.42。

しかし，この分類はサービス産業の重要性の高まりから，分類の改訂が行われている。そのためここでは，流通都市指標と消費都市指標を合わせた流通消費都市指標と生産都市指標について確認した（図11－２）[11]。

図は縦軸に流通消費都市指標を，横軸に生産（工業）都市指標を示したものである。軸の交点には全国平均の数値をおいている。2010年から2020年の変化をみると，浜松市を除く19の政令指定都市においては，流通消費都市指標が全国平均を上回り，生産（工業）都市指標が全国平均を下回る状況であることが確認できる。熊本市においても，全国平均や政令指定都市平均と同じく生産（工業）都市指標が減少し，流通消費都市指標が増加しているという特徴が明らかになった。

図11－2　政令指定都市の流通消費都市指標の推移（2010－2020年）

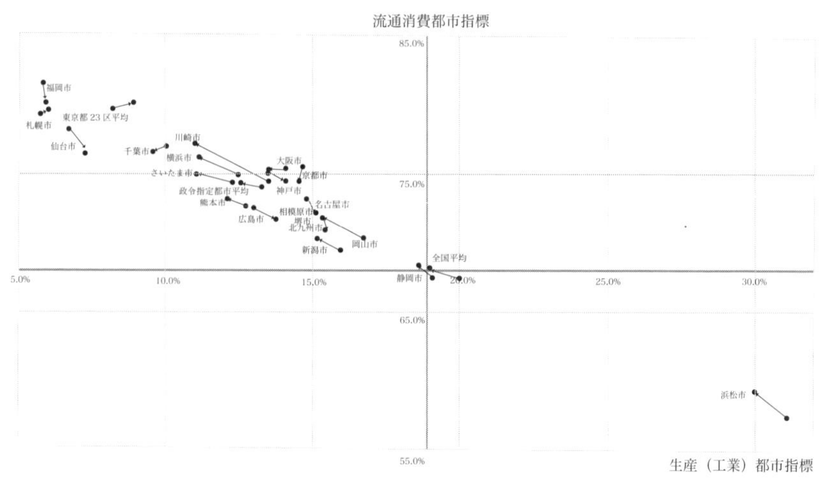

（出所）総務省統計局（2010）（2020）『国勢調査』より筆者作成。

2．クリエイティブ経済

また，2000年代にはクリエイティブ・クラスの集積の議論が注目されてきた。創造都市論の第一人者であるFlorida（2005）はクリエイティブ・クラスの比率が高い地域が発展する地域であると指摘した。クリエイティブ・クラスは，3つのT理論というTechnology（技術：ハイテク産業従事者），Talent（才能：大卒以上の学歴者），Tolerance（寛容性：ボヘミアンと呼ばれるクリエイターなどの職業従事者）[12] の割合から算出された。

近年はクリエイティブ・クラスもその職業の持つ都市への役割から，スーパー・クリエイティブ・コア（以下コア），クリエイティブ・プロフェッショナル（以下プロフェッショナル）へと精緻化されてきた[13]。

コアは「広く製造，販売できる製品の設計や，さまざまに応用可能な原理や戦略の考案，繰り返し演奏される音楽の作曲など」最もクリエイティブな仕事を行うとされる。コアは「科学者，技術者，大学教授，詩人，小説家，芸術家，エンターテイナー，俳優，デザイナー，建築家の他に，現代社会の思潮をリードする人，例えばノンフィクション作家，編集者，文化人，シンクタンク研究員，アナリスト，オピニオンリーダーなど」[14]と定義された。これを日本の2020年国勢調査の職業分類に当てはめると，研究者，技術者，著述家・記者・編集者，美術家・デザイナー・写真家・映像撮影者，音楽家・舞台芸術家を当てることができるといえよう。

またプロフェッショナルはコアの周りに位置し，「自分の裁量で考え，標準的なやり方を独自に応用したり組み合わせて状況に当てはめ，判断力を駆使し，時には過激で新しいことを試すこと」が要求されている。プロフェッショナルは改良を行い，自分で作り出す仕事を続けることで，コアへと転換していくことが期待されている。プロフェッショナルは「ハイテク，金融，法律，医療，企業経営など，様々な知識集約型産業で働く人々」[15]と定められている。日本の国勢調査の職業分類において，法人・団体役員，その他の管理的職業従事者，保健医療従事者，社会福祉専門職業従事者，法務従事者経営・金融・保険専門職業従事者，その他の専門的職業従事者が当てはまるといえよう。

これらの数値から算出した政令指定都市のコア・プロフェッショナル比率を確認しよう（図11－3）。図の縦軸にコアの比率をおき，横軸にプロフェッショナルの比率を示したものである。なお軸の交点は全国平均の比率を示している。

図の右上には横浜市，さいたま市，千葉市，大阪市，名古屋市，神戸市，福岡市，仙台市の8都市と東京23区平均，政令指定都市の平均が位置している。このことは，コアとプロフェッショナルが集積している都市であるといえよう。一方で熊本市は図の右下に位置し，コアの比率は全国平均を下回っているが，プロフェッショナルの比率が全国平均を上回っている。プロフェッショナル比率は20政令市の中でも最も高い値を示している。このことは熊本市がプロフェッショナル主導型の都市であることを示している。

クリエイティブ経済ではコア比率の高い地域が注目されるが，ここでは熊本市のプロフェッショナルの比率が高いということに注目してみよう。繰り返しになるが，プロフェッショナルはコアの周りで，様々なやり方を応用し，新しいことを試すことが要求される地域である。そのためここでは，熊本市内の様々なことを応用しながら新しいことを試している取組みについて注目していきたい。

図11－3　政令指定都市のコア・プロフェッショナル比率変化

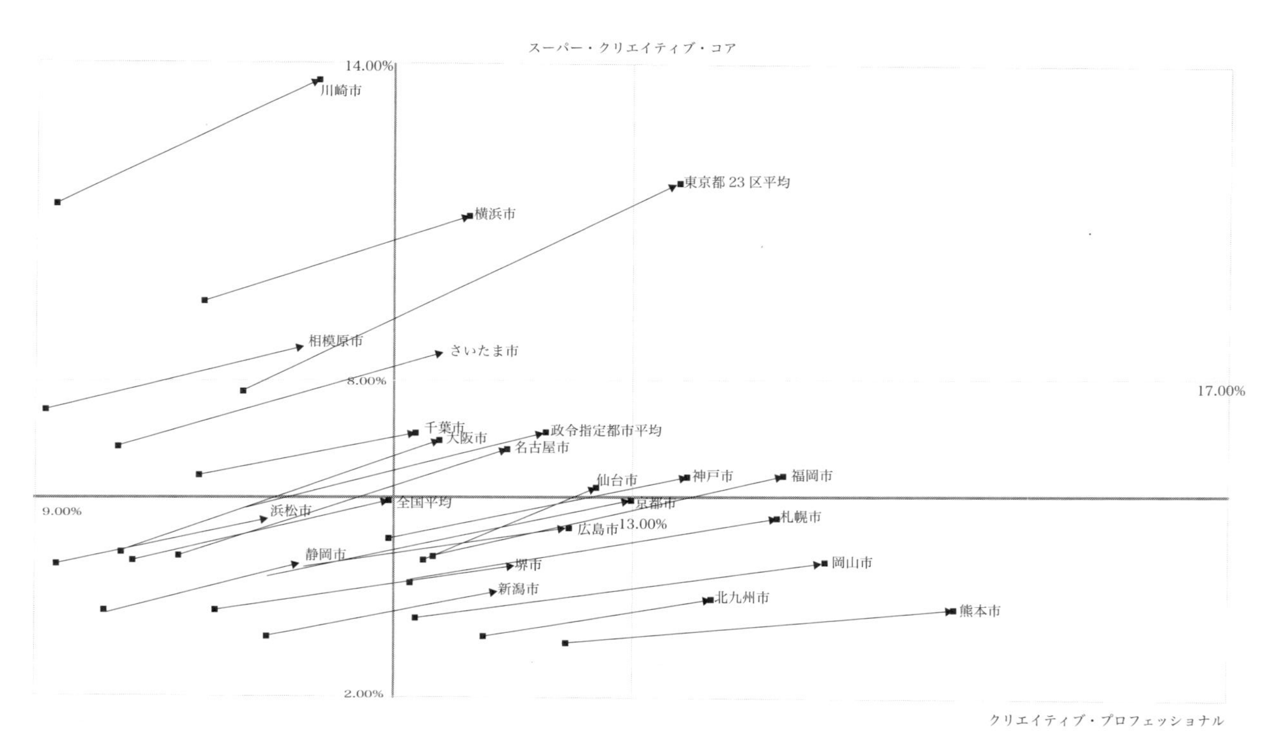

（出所）総務省統計局（2010）（2020）「国勢調査」より筆者作成。

第5節　クリエイターらの育成と街の発展を目指して

シード・マーケットは，「熊本市の中心市街地への出店を志す，若手事業者の発掘育成を目指す」[16]事業であり，育成した事業者の本格出店を目指す種まき事業である。この事業は2013年7月から月1回のペースで開催されてきた。それぞれテントでは，自らが手がけた家具，アクセサリー，野菜などの物販と飲食が提供されていた。

本格出店には，空きビルを小分けに改装し区画ごとに安価に貸し出すリノベーション事業を活用するところにこの事業の特色がある。熊本日日新聞によると，リノベーション事業は北九州市の小倉駅近くの魚町銀天街の一角の「ポポラート三番街」の取り組みが先進例として注目されているという。築40年以上のビルを改装し，1区画2坪前後で貸し出すというものである[17]。この仕組みを応用し，熊本市中央区にある築40年以上のビルの空室から若い事業者向けのオフィスをオープンしていることから，熊本市内では古い建物の活用と北九州市のリノベーションの方式を取り入れた取り組みが行われている。

シード・マーケットの開催は熊本地震後には確認できないが，2018年からは「白川夜市」がその役割を受け継いでいる。熊本市の繁華街から東に500mほどの白川の河川敷に，毎月飲食や物販が出店し，地域を盛り上げる活動を行っている。来場者や出店希望者も回を重ねるたびに増えてきている[18]。熊本地震やコロナ禍での中断を挟みつつも，毎月出店するイベントが継続して行われている。このことは，コアとして起業するクリエイターやプロフェッショナルとして飲食店経営を行うための実験の場，そしてインキュベーションの場となりつつあることを示しているといえよう。

第6節　住みたい都市の構築に向けて

本章は熊本地震からの復興まちづくりについて，クリエイティブ経済とイベントの関係に注目して考察することが目的であった。そのため，熊本市のしごと・ひと・まち創生総合戦略のリーディング産業に掲げられているクリエイティブ産業について確認した。

ここでは以下のようにまとめることができる。第1に熊本市のクリエイティブ経済の特徴がプロフェッショナル主導型の都市であることである。そのため，プロフェッショナルに求められる「様々なやり方を応用し，新しいことを試すことが要求される」役割があることを確認した。第2に熊本市で開催されてきたシード・マーケットや白川夜市はプロフェッショナルに求められる役割に対応した取り組みであるという点である。

今後は，熊本市に「住みたい」という地域そのもののブランド化を目指す上で「しごと」を考えると，プロフェッショナルで試みられてきたものから新しいものを作り出すことを主目的とする「コア」への変換が期待されているといえよう。また，台湾のTSMCの進出によってコアやプロフェッショナルといったクリエイティブ・クラスの熊本市への流入が期待されているが，クリエイティブ・クラスはより良い環境を求めて「移動する」という特徴を有していることも付しておきたい。

注

1）この時城下の武家屋敷地も軍用地として接収されており，軍都としての熊本が形作られていく。

2）熊本市の西南戦争と第二次大戦からの戦災からの都市の復興については西村（2018）pp.300-305に詳しい。

3）熊本市都市政策研究所（2014）p. 5。

4）「森都縫ふ白路の美」『熊本日日新聞』1945年12月8日。

5）通称増田レポートである。増田寛也編（2014）に詳しい。

6）首相官邸ホームページ https://www.kantei.go.jp/jp/headline/chihou_sousei/ishiba20141121.html（2023年8月7日閲覧）

7）電通abic project編（2009）pp. 4 - 8 に詳しい。

8）熊本市（2021）p. 2。

9）熊本市（2020－a）p.21。

10）阿部（2006）p.42。

11）ここでは第三次産業に位置付けられている不動産業に，物品賃貸業が統合されている。これは，対個人サービス業に位置付けられていたものであるが，①「ファイナンス・リースを含む中分類『物品賃貸業』の活動が，売買，賃貸，管理といった『不動産業』の活動により近くなったこと，②近年，不動産リースを取り扱う物品賃貸事業者が出現してきていること，③北米分類等との比較可能性も向上すること」によって，統合された。そのためここでは，不動産業と物品賃貸業を統合したものを流通消費都市指標から除去して算出した。詳細は総務省「日本標準産業分類の変遷と第12 回改定の概要」を確認のこと。

12）米国の分類「作家（183），デザイナー（182），ミュージシャン・作曲家（186），俳優・ディレクター（187），クラフト作家・画家・彫刻家・版画家（188），写真家（189），ダンサー（193），アーティスト・パフォーマーその他関連職業（194）」である。Florida, Richard（2005）訳書，p.131。

13）草野は，国内のコア比率の高い品川区に注目し，コアの人々の特質や都市にどのようなサービスを求めているのかについて明らかにした。

14）Florida, Richard（2011）訳書，p.56。

15）同上，p.56.

16）「城見町全栄会『シードマーケット』開催」『熊本日日新聞』2013年7月25日に詳しい。

17）「雇用，にぎわい取り戻せ」『熊本日日新聞』2013年8月18日。また，草野（2015）では，古い建物をリノベーションし，事業者が安価に入居・出店していくという取組みは熊本市内では熊本城の東側に位置する上乃裏通りでは1987年から，その後，河原町の繊維問屋街などでも行われてきたことを明らかにした。

18）河川敷でのイベントの定着はコロナ禍でも中断を挟みつつも継続されてきたことがわかる。たとえば，以下二つの記事を参照のこと。「『白川夜市』新たな集いの場」『熊本日日新聞』2019年8月18日。「中心街の河川敷楽しもう」『熊本日日新聞』2022年12月4日。

参考文献

（1）Florida, Richard（2005）*Cities, and the Creative Class*, Routledge（小長谷一之訳（2010）『クリエイティブ都市経済論』日本評論社）。

（2）Florida, Richard（2011）*The Rise of the Creative Class Revisited*（10th Anniversary Edition）, Basic Books（井口典夫訳（2014）『新クリエイティブ資本論』ダイヤモンド社）。

（3）阿部真也（2006）『いま流通消費都市の時代ー福岡モデルでみた大都市の未来』中央経済社。

（4）草野泰宏（2015）「熊本市におけるリノベーションまちづくりの可能性」熊本市都市政策研究所『熊本都市政策』Vol. 3, pp.38－45。

（5）草野泰宏（2024）「クリエイティブ・クラスと都市の市場文化～ITスタートアップを中心として」『消費文化理論から見るブランドと社会』中央経済社，2章（発行予定）。

（6）熊本市（2016a）「熊本市しごと・ひと・まち創生総合戦略」。

（7）熊本市（2016b）「熊本市震災復興計画」。

（8）熊本市（2020a）「熊本市しごと・ひと・まち創生総合戦略（第2期）」。

（9）熊本市（2020b）「熊本市第7次総合計画」。

（10）熊本市（2021）「熊本市震災復興計画の総括」。

（11）熊本市都市政策研究所（2014）「熊本都市形成史図集」。

（12）熊本市都市政策研究所（2016a）「熊本都市形成史図集（戦後編）」。

（13）熊本市都市政策研究所（2016b）「水島貫之『（現代語訳）熊本明治震災日記』」。

（14）熊本市都市政策研究所（2021）「熊本都市計画史図集」。

（15）熊本市都市政策研究所・政策局復興総室（2018）「平成28年熊本地震　熊本市震災記録誌」。

（16）『熊本日日新聞』1945年12月8日，2013年7月25日，2013年8月18日，2019年8月18日，2022年12月4日。

（17）首相官邸ホームページ https://www.kantei.go.jp/jp/headline/chihou_sousei/ishiba20141121.html（2023年8月7日閲覧）。

（18）総務省統計局（2010）（2015）（2020）「国勢調査」。

（19）総務省（2007）「日本標準産業分類の変遷と第12回改定の概要」。https://www.soumu.go.jp/main_content/000394417.pdf（2023年8月20日閲覧）。

(20) 電通abic project編（2009）『地域ブランド・マネジメント』有斐閣。
(21) 西村幸夫（2018）『県都物語－47都心空間の近代をあるく』有斐閣。
(22) 増田寛也編（2014）『地方消滅～東京一極集中が招く人口急減』中公新書。

（草野泰宏）

第12章　鹿児島県鹿児島市喜入瀬々串町の活性化に向けて

本章は，2022年度に鹿児島県鹿児島市喜入瀬々串町の活性化に向けて実施された官学協働プロジェクト「ふるさと水土里の探検隊」に関して述べる。まず，第１節では，喜入瀬々串町の概要を記す。第２節では，「ふるさと水土里の探検隊」の取り組みを紹介する。第３節では，筆者が実施した喜入瀬々串町を対象とした住民アンケート調査の主要結果と考察を記す。最後に，第４節では，喜入瀬々串町における今後の課題に関して，STPおよびマーケティング・ミックスの点から筆者の考えを述べる。

第１節　喜入瀬々串町の概要

喜入瀬々串町は，鹿児島県鹿児島市の南部に位置する988世帯・人口2,155人（男性999人・女性1156人）の地域であり（2022年12月１日時点）[1]，星和・上・中・下・浜田という５つの集落で構成される。町域の北方には平川町，西方には南九州市知覧町郡，南方には喜入中名町，東方には日本百景に選定された鹿児島湾（錦江湾）があり，町内にある展望所からは鹿児島のシンボルと称される桜島が一望できる。

加えて，町内にはJR指宿枕崎線の瀬々串駅・指宿スカイライン（一般有料道路）の知覧インターチェンジ・瀬々串郵便局・瀬々串保育園・瀬々串小学校などがある。かつては，瀬々串中学校もあったが，生徒減少により閉校となり，現在は町外の喜入中学校が通学区域となる。同じく町外ではあるが，錦江湾高等学校と鹿児島国際大学坂之上キャンパス（以下，本学）が最寄りの学校となる地域である。

伝統的な家庭料理の一つとしては，「豊祭蕎麦（ほせそば）」がある。鯖と味噌で味付けされた汁，小さく切られた鯖の身や蜜柑の皮などが具となる全国的にみても珍しい蕎麦である。しかし，残念ながら，この蕎麦を観光客として食すことのできる場所はほとんどない。近辺の町（喜入一倉町）にあるグリーンファームという鹿児島市観光農業公園内の農園レストランで，メニューの一つとして提供されているにすぎない。

第2節　ふるさと水土里の探検隊

1．ふるさと水土里の探検隊とは

鹿児島県庁は，良好な農村環境の保全や地域活動の活性化を図ることを目的に[2]，鹿児島県土地改良事業団体連合会（以下，水土里ネット鹿児島）および対象地域の市役所や住民らと共に，集落点検やワークショップを通して地域課題の整理・共有化などを進める「ふるさと探検隊」を実施している。これは，国の補助を一部受けて各都道府県が実施する「中山間ふるさと・水と土保全対策事業（ふる水基金）」の一つである（大久保，2017）。

この取り組みに関して，本学は鹿児島県農政部からの協力要請を受け（富澤，2011），2009年度から協働するようになり，2017年度以降は経済学部所属の筆者および西ゼミナールの学生がそれを継続している。

具体的に，西ゼミナールでいえば，これまで，日置市野首地区（2017年度），いちき串木野市川南地区（2018年度），指宿市川尻地区（2019年度），鹿児島市四元地区（2020年度），日置市日新地区（2021年度），鹿児島市瀬々串地区（2022年度）で開催された取り組みに関わってきた。なかでも，野首地区での取り組みにおいては，地域活性化に向けて学生らが提案した内容の一部（遊歩道を案内するマップ看板や道中で休憩できる丸太ベンチなど）が現地で採用され実現した[3]。

なお，「ふるさと探検隊」は，毎年度，鹿児島県内の複数の地域で実施されている。そのなかで，本学が協働する場合は，官学協働プロジェクトという位置づけとなり，名称が「ふるさと水土里の探検隊」となる。

2．喜入瀬々串町における取り組み

2022年6月，本学の産学官地域連携センターに，鹿児島県農政部や水土里ネット鹿児島事業部の職員が来室され，筆者は喜入瀬々串町（瀬々串地区）を対象とした「ふるさと水土里の探検隊 in 瀬々串地区」の依頼を受けた。その後，事業関係者からの協力を頂きながら，同町の住民に対するアンケート調査を実施した。他方で，事前に現地（瀬々串校区公民館）を訪問し，瀬々串地区長や各集落長らと共に，本事業の実施日や実施内容に関して議論した。

そして，2022年11月，「さあ，みんなで瀬々串を探検しよう。そして未来の話をしよう！」というテーマのもと，住民や学生らを含む計69名が「第1回ふるさと水土里の探検隊」に参加した。本学は，喜入瀬々串町内を5コース（星和コース・上コース・中コース・下コース・浜田コース）に分かれて視察する活動に参加し，現地で暮らす住民とコミュニケーションをとりながら，各コースの現状や課題を直接確認する作業を進めた（写真12－1）。そのなかで，空き地・空き家・耕作放棄地が多いことなどが確認された。視察終了後は，瀬々串の伝統的な家庭料理である「豊祭蕎麦」を試食した（写真12－2）。

写真12－1　現地視察

写真12－2　豊祭蕎麦

（出所）西ゼミナール撮影。

新型コロナウイルス感染症対策の観点から，「第2回ふるさと水土里の探検隊」は，2023年1月にZoomにて開催された。この回では，筆者による住民アンケート調査の中間結果や学生による喜入瀬々串町の活性化策に関する発表会が行われた。その後，住民らを含む意見交換会が行われ，2022年度の「ふるさと水土里の探検隊 in 瀬々串地区」は締めくくられた。

第3節　住民アンケート調査の結果と考察

1．調査と分析

2022年夏季，鹿児島県庁・鹿児島市役所・水土里ネット鹿児島・瀬々串地区長などからの御理解・御協力を得て，喜入瀬々串町の住民に対する紙媒体のアンケート調査を実施した。質問項目は，住民の集落・性別・年代・職業・居住年数・居住理由・居住人数・移動手段・頻繁に利用する店舗などである。そして，本調査では，最終的に計584名からの回答を得た。

分析に関しては，単純集計による度数とパーセント，富澤（2015）・大久保（2017）を参考にしたSD（Semantic Differential）法による平均値と標準偏差，TM（Text Mining）法による出現率と共起出現率の高い単語（キーワード）を明らかにした。

2．結果と考察

1）集落・性別：集落では「星和（28.0%）」の回答者が最も多く，性別では「男性（45.2%）」よりも「女性（54.8%）」の回答者が多かった。この喜入瀬々串町は，星和の住民が多く，男性よりも女性の方が多い地域である。そのため，本調査のデータは，概ね母集団を代表していると考える。

2）年代：「70代以上（43.9%）」の回答者が最も多かった。因みに，60代以上でまとめてみると，回答者はさらに多くなり，全体の70.5%を占める。なお，「20代以下」の回答者は，わずか1.2%しかおらず，少子高齢化が進んでいることがわかる。今後，若年層に限定した再調査を実施することが一つの課題であろう。

3）職業：「その他（53.8%）」の回答者が最も多かった。次いで，「会社員（25.3%）」，「非正規労働者（10.0%）」，「自営業者（9.1%）」であった。それ以外は，ほとんどいなかった。自由記述となる「その他」には，“無職”という回答がほとんどであったため，専業主婦や年金生活者が多いのであろう。それは，回答者全体の70.5％が60代以上という結果からも考えられる。

4）居住年数：「50年以上（25.1％）」の回答者が最も多かった。因みに，30年以上でまとめてみると，回答者全体の57.1％を占める。すなわち，回答者の多くはベテラン住民であるいえるが，一方で29年以下も回答者全体の42.8％いる。この結果は，悲観的に捉えるのではなく，むしろ今後の喜入瀬々串町の活性化を考える上で，希望が持てるものとして捉えるべきであろう。

5）居住理由：「故郷（41.9％）」の回答者が最も多かった。この結果から，住民の地元愛が強いことがわかる。次いで，「結婚（24.7％）」，「その他（23.4％）」であった。なお，「その他」は，概ね“配偶者の故郷”や“安価な物件”という回答であった。なかでも，安価な物件という点は，今後の定住者獲得に向けた一つの糸口になりうる。最寄りの学校となる本学の周辺には，学生向けの賃貸物件が少ないため，今後，一人暮らしを考えている本学入学予定者らに目を向けることは大事であろう。

6）居住人数：「2人（45.8％）」の回答者が最も多かった。因みに，2人以下でまとめてみると，回答者全体の68.3％を占める。先の年代の結果（回答者全体の70.5％が60代以上）を踏まえると，高齢の一人暮らしや二人暮らしが多い地域であり，改めて少子高齢化が進んでいるといえる。今後，子世代・孫世代が，故郷を離れた理由および故郷に戻らない理由を詳細に探る必要があると考える。

7）移動手段：「自家用車（79.3％）」の回答者が圧倒的に多かった。この結果から，本地域での生活には，自家用車の利用が必須であるという見方ができる。ともすれば，これは，交通の便が悪いということを示唆しているものとなる。なお，「その他（1.7％）」には，“JR”という回答があったが，それは選択肢の「電車」に含まれる回答となる。

8）頻繁に利用する店舗（多重回答）：「スーパー（24.3%）」の回答者が最も多かった。次いで，「銀行・郵便局（15.4%）」，「コンビニ（15.1%）」，「病院・医院（14.4%）」であった。それ以外の店舗の利用は，非常に少ない結果となった。なお，「その他（0.6%）」には，“生協の個配”という回答があった。回答者の利用先が少ない理由としては，新型コロナウイルスの影響に加え，そもそも自宅から各店舗までの道のりが遠いことが影響しているのであろう。

9）喜入瀬々串町に対するイメージ（SD法）：結果は，図12－1の通りとなった。尺度は，プラスイメージの「＋2」からマイナスイメージの「－2」までの5段階評価である。図中の丸印は平均値，点線は標準偏差を表している。その上で，回答の平均値は，全18項目のうち，6項目がプラス領域，12項目がマイナス領域となった。ゆえに，回答者は，残念ながら多くのマイナスイメージを持っている。とりわけ，「雇われ先がない」や「買い物は地域内で済まない」など，いわばこうした地域の弱みに対する改善策を考えることが今後の大きな課題であろう。

図12－1　喜入瀬々串町に対するイメージ

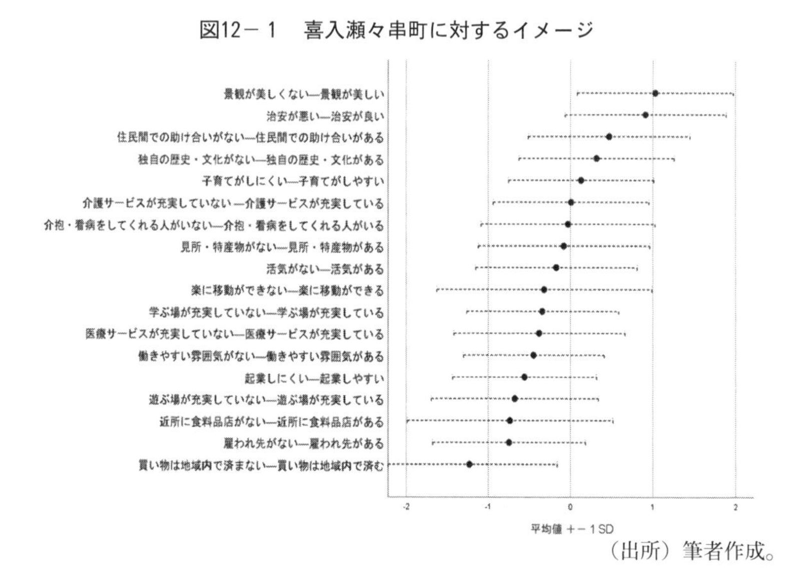

（出所）筆者作成。

10）喜入瀬々串町に対する今後の要望（TM法）：結果は，図12－2の通りとなった。図中の丸印の大きさは，回答者が記した単語の出現頻度の高さを表している。実線の太さは，単語間の共出現頻度の高さを表している。主要結果は，①鹿児島市が下水道管理をする地域，②高齢者などが安心して暮らせる地域，③若者と子育て世代が定住しやすい地域，④人口増による活気のある地域の4つである。とりわけ，④が顕著であるが，その実現には③が鍵を握る。次節では，定住者の獲得・増大に向けた筆者の考えを述べる。ただし，それは，地域の人々が地元の学校に通う生徒らとの関係性を形成・強化することが前提となる。

図12－2　喜入瀬々串町に対する今後の要望

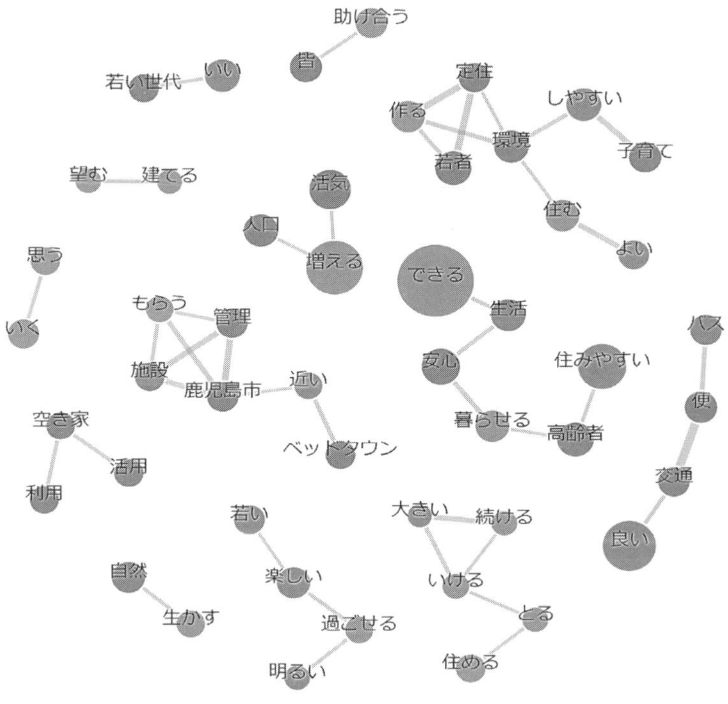

（出所）筆者作成。

第4節　喜入瀬々串町におけるマーケティング課題

これまでの記述を踏まえ，定住者の獲得・増大に向けた喜入瀬々串町における今後の課題に関して，STPおよびマーケティング・ミックスの点から筆者の考えを述べる。

1．STP

1）セグメンテーション：地理的・年代的な点から考えると，喜入瀬々串町は，知覧インターチェンジや瀬々串駅などの魅力がある一方で，空き地や空き家などの問題を長年抱えている過疎地域であり，鹿児島県鹿児島市内とはいえ，若年層の住民が非常に少ない自然に囲まれたルーラルエリアである。

2）ターゲティング：瀬々串駅は，多くの若者が行き交う本学最寄りの坂之上駅から僅か3駅のところに位置する。この地域の特徴を強みとして捉え，それを最大限に活かすことが，今後の定住者の獲得・増大に向けて非常に重要であろう。本調査では，“安価な物件”という理由から居住している住民がいることも確認している。こうしたことから，「一人暮らしがしたい低コスト志向・ルーラル志向の本学入学予定者」をターゲット層として定め，その層に向けてアプローチすることが，定住人口の問題を解決するための現実的な突破口になるのではないだろうか。

3）ポジショニング：一人暮らしをしている本学の学生は，本学最寄りの坂之上駅周辺にいるが，坂之上は賃貸物件が少ない住宅地であるため，北方（都市部方面）の谷山駅や宇宿駅などから通学する学生もいる。一方，南方（指宿方面）の平川駅や瀬々串駅などから通学する学生はほとんど見受けられない。とはいえ，瀬々串駅が宇宿駅と同等の坂之上駅から近い駅であることには変わりない。この地理的な特徴に加え，ルーラルエリアであることにより，学生の家賃や駐車場代などの費用は，北方エリアよりも低く抑えることができる。喜入瀬々串町は，そうしたポジションをとることが可能である。

2．マーケティング・ミックス

1）プロダクト：空き地・空き家・耕作放棄地が多いという点を，むしろ地域の強みとして捉える。とりわけ，空き家を賃貸物件として活用し，ターゲット層に対して提供できるようにする。間取りによっては，シェアハウスを可能にすることが望ましい。

2）プライス：賃貸物件は，谷山駅や宇宿駅などの北方エリアには数多く存在するが，都市部方面の地域であるため，平川駅や瀬々串駅などの南方エリアに比べると家賃や駐車場代などの負担がかかる。そこで，既存の空き家をターゲット層に対して，より低価（例えば学割価格）で貸せるようにする。

3）プレイス：瀬々串駅周辺（徒歩圏内）の空き家にフォーカスする。ターゲット層の多くは，近隣ではなく，県南東部の大隅半島，種子島・屋久島などの離島，あるいは県外に存在する。そのため，不動産仲介会社のリアルショップやネットショップ，（地域が独自に設けた場合の）SNS・HPなどを経由することにより，ターゲット層とのコンタクトの場をつくる。

4）プロモーション：Z世代と呼ばれるターゲット層の多くは，SNSを日常的に利用する。周知の通り，このSNSは，ほとんどの機能が無料で利用可能であり，クチコミやパブリシティへの波及効果を有している。例えば，拡散力のあるX（旧Twitter）を活用し，地域の魅力に加え，提供可能な賃貸物件情報を適宜発信することが遠方のターゲット層とのコミュニケーションとなる。

謝辞

本章は，前任の大久保幸夫教授（鹿児島国際大学元学長）をはじめ，鹿児島県農政部や水土里ネット鹿児島の方々など，「ふるさと水土里の探検隊」事業に関わる多くの関係者からの御支援・御協力によるものである。ここに感謝の意を表す。

注

1）https://www.city.kagoshima.lg.jp/shimin/shiminbunka/shimin/suikeijinko/suikeijinkour041201.html（鹿児島市「推計人口」2022年12月30日閲覧）

2）http://www.pref.kagoshima.jp/aq07/chiki/oshima/kiban/nougyonouson/furusatotankentai.html（鹿児島県「ふるさと探検隊」2023年３月10日閲覧）

3）https://yamap.com/activities/7203987（YAMAP「日置市牛頭野岡」2023年３月10日閲覧）

参考文献

(1) 大久保幸夫（2017）「中山間地域住民の地域に関するイメージ分析－鹿児島県いちき串木野市羽島地区を事例として－」『地域総合研究』鹿児島国際大学附置地域総合研究所，第45巻，第１号，pp.1-17。

(2) 富澤拓志（2011）「行政と大学の連携による地域おこし活動：鹿児島県日置市飯牟礼地区の水土里サークル活動」『地域総合研究』鹿児島国際大学附置地域総合研究所，第38巻，第２号，pp.17-41。

(3) 富澤拓志（2015）「鹿児島市花尾町における地域イメージの調査」『地域総合研究』鹿児島国際大学附置地域総合研究所，第42巻，第２号，pp.53-74。

（西 宏樹）

補論1　フードデザートへの取り組み

1．はじめに

高齢化の進展に伴い，買い物弱者や買い物難民といわれる消費者が増加してきている。「フードデザート」といわれている現象で，決して食後のデザートを意味しているものではない。これは人ごとではなく，われわれの身近に起きている，あるいは近いうちに直面する現象といっても過言ではない。近年，従来型の商店街や駅前スーパーなどの店舗が閉店することで，その地域の住民が生活用品や食料品などの購入に困っている人々が増加している。そこで，そのような消費者に向けて，小売業が様々な取り組みを始めている。宅配やスーパーマーケットまでの送迎バスがその例である。ここでは，糸島地域の移動販売における取り組み事例を紹介する。

2．糸島地域の事例

まず，糸島市の高齢化は2008（平成20）年19.8%から2013（平成25）年23.5%と上昇している。また，糸島地域別の高齢化は地区によって様々な様相を示している。

2014年9月4日，夏季休暇を利用して糸島市にある生鮮市場マルコーバリュー波多江店を訪問した。マルコーバリューでは，このような人々を支援しようと移動販売車「いと丸くん」（写真補1－1）による移動販売を行っている。まず，実際に「いと丸くん」が移動販売を行っている様子を見学し，女性ドライバーや購入された高齢者の方々からインタビュー（写真補1－2）を実施した。その後，幸田敏治社長から移動販売を始めたきっかけやこれからの課題についてのヒアリングを実施した。「いと丸くん」は地域密着型で，事業だけではなく社会福祉の面もあることを認識した。

生鮮市場マルコーバリューとは，糸島市波多江駅前にあり，糸島産の野菜，果物，福吉漁協の魚を主に販売しており，CGCグループに加盟している。会長が店舗の生ゴミ100%近くを畑で処理し，無農薬・科学肥料０%で野菜作りをし，店舗で販売している。移動販売車の「いと丸くん」を４台，2013年12月から開始している。その移動販売の特徴と活動は，１）マルコーにある商品を女性ドライバーが朝に選定し，トラックにつめ，各地域に運んでいる。２）曜日によってルートが決まっており，テーマソングを流しながら，近くに来たことを知らせている。３）地域によって商品は異なり，個人宅に運ぶこともある。４）食品だけでなく，日用品も揃っている。5）店舗の売価より，販売商品の10～20円高いのは，ガソリン代や人件費のためである。

「いと丸くん」の利用者へのインタビューの結果は次のとおりである。１）81歳女性はほぼ毎回来ており，一人暮らしのため，助かっている。以前は，農協の無料巡回バスを利用していたが，行き帰りの時間がかかるので，体力的にきつい。２）60代後半の女性は必要なものだけを買うことが出来る，等。

移動販売のメリットは，１）小回りが効くことである。移動ルートはドライバーの判断で販売地域の変更が可能。２）お客様との距離が近く，マニュアルはないが，接客重視のため，働いている人が生き生きしている。逆にデメリットは，１）トラックに積む商品の量が限られる。２）レジに集中すると，他のお客様が見えなくなる。２人で移動するのが理想であるが，経費を考えると無理である。３）天候に影響されやすい。天気が良い時と悪い時との売り上げの差が大きい。

これからの課題として，１）お客様の声を聞きながら，品揃えを変えて行かなければならない。２）音楽のスピーカーが前方にしかないため，遠くに聞こえず，宣伝しきれていない。３）日曜日が「いと丸くん」の休日なので，公園などを回って駄菓子関係を販売することを考えている。

３．マーケティング・インサイト

高齢者の全てが元よりターゲットとはいえない。高齢者が元気で買い物に出

写真補1－1　移動販売車・いと丸くん　　**写真補1－2　漁村近くにて販売風景**

（出所）著者撮影。

かけることが可能であるとか，或いは2世代で暮らしている場合には，ご子息の自動車運転により，買い物に出向くことができるなどは除くことができる。しかし，買い物弱者の予備軍であることに代わりはない。フードデザートのマーケット規模は広がりを見せるだろう。その意味では地域住民起点のソリューション・マーケティングの台頭となる。

また，今回の事例は，小売マーケティングの展開の中で，ソーシャル・マーケティングの一面と捉えることができる。つまり，利益追求だけではなく，地域の社会貢献を意識したマーケティング展開を行っているのである。そして，地域貢献を行っていることで，小売業のイメージ向上につながるのである。

地域住民起点のソリューションにかかわることは，「倖せ」の追求作業であるといえる。私は，しあわせとは，幸せ，上下に分解すると，つまり，「土」といった土地や家屋といった固定資産と「¥」マークの現預金の組み合わせだけではなく，それに寄り添う「人（にんべん）」のある「倖せ」が大切であると考えている。今回の事例は，まさに人が地域に寄り添う「倖せ」追求の一端を担っているマーケティング活動であるといえよう。

（日本マーケティング協会九州支部発行の「マーケティング・アイズ」Vol.80，
2017年に掲載したものに加筆修正したものである。）

（片山富弘）

補論2　地域人財の教育の必要性

1．地域人財の教育と展開

図1－1にある地域活性化の構図に提示している地域リーダーの育成が，地域活性化に欠かせない。立派なマーケティング戦略が立案・作成されても，また，いくら良いアイデア商品開発やプロモーションが考えられても，それを促進していくリーダーや組織が必要である。

そこで，まず，On-the-job Training（オン・ザ・ジョブ・トレーニング）とOff-the-job Training（オフ・ザ・ジョブ・トレーニング）の視点からみてみる。

オン・ザ・ジョブ・トレーニングでは，一緒に地域の特産品づくりを通じて，商品開発の視点やプロモーション展開を，地元の方々（地域を変えたいと思っている者，若者，地元に熱くなれるという意味で熱い男）やよそ者（地元以外の視点を持っている外部者など）がブレーンストーミングなどでアイデアを出しながら，また，方向性を議論しながら，ベクトルを合わせる作業が重要である。

オフ・ザ・ジョブ・トレーニングでは，地域のリーダーグループに対する地域活性化に向けた研修教育が必要であり，他の地域活性化に成功している地域を現地訪問することで，その地域のリーダーや組織や住民に意見を聞くことが大切である。参考となる1つの道標が持てることで，今後の参考になるものと思われる。

次に，リーダー1人だけで組織が動くものではなく，協力者がいて，その組織が動くものである。また，よそ者も1人だけではなく，協力者がいて組織が動くものである。ここでのリーダーはリーダーだけではなく，そのグループ・組織のことであり，（Reader-Group：RG）とする。また，よそ者とは，地域以外の方という意味で，地域活性化の成功体験を持っている者や知恵を有している者のことであり，（Another-Group：AG）とする。それぞれに意識が高いのはHighで，意識が低いのはLowで示した。それぞれを図表にすると，次のようになる。４つの各タイプによって，地域活性化へ向けた展開の仕方が異なってくるものである。

表補２－１　RGとAGのマトリックス

	AG-High	AG-Low
RG-High	１）実行型	２）巻込み型
RG-Low	３）火付け型	４）ワーキング型

（出所）筆者作成。

１）実行型

この場合は，意識の高いリーダーグループと意識の高いよそ者グループとの実行に向けた方向性のすりあわせやバックアップ体制や地元住民の協力体制の整備に注力すべきである。相互の意見交換で，協力体制が比較的に得られやすい。

２）巻込み型

この場合は，意識の高いリーダーグループが，まだ意識の低いよそ者グループとの実行に向けた協力体制を促進する。その意味では，意識の高いリーダーグループが，まだ意識の低いよそ者グループに影響を与えながら，レベル向上をしていくことになる。

３）火付け型

この場合は，意識の低いリーダーグループに，意識の高いよそ者グループが，ビジョンや目標を提示しながら，地域のあるべき姿を議論していくことになる。意識の低いリーダーグループに，意識の高いよそ者グループが影響を与えながら，レベル向上をしていくことになる。

４）ワーキング型

この場合は，リーダーグループとよそ者グループの両方が，ポジティブに協働でビジョンや目標を作り出すことから始まる。ここから，意識の高い方へレベルを高めていくために，協働作業が欠かせない。しかし，地域はこのままではいけないという危機感が醸成されるまでに時間を要する。

対象とする地域がどのタイプかによって，地域活性化への働きかけ方が異なってくる。

地域活性化の人財には，3種類のタイプがあるという。1つは若者，1つは熱くなれる馬鹿者（ここでは，同じ意味で熱男とする（男女の性別なし）），1つはよそ者である。この3種類のタイプが混じり合う中で，地域活性化につながっていく。お互いがビジョンや目標の立案・作成の作業を通じて，ベクトルを合わせることが欠かせない。

図補2－1　地域活性化の3種類の人財の関係

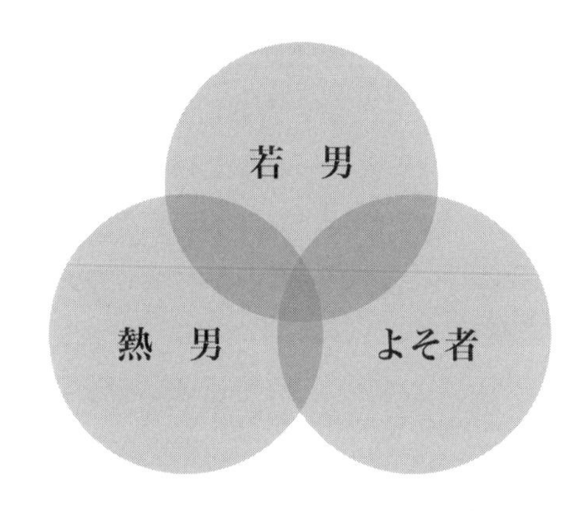

（出所）筆者作成。

2．コンフリクトの解消に向けて

地域活性化のビジョンや目標を立案する際に，意見の衝突・食い違いが生じる。その際に，コンフリクト・マネジメントの考え方が役立つと思われる。

コンフリクト・マネジメントとは，職場で発生する利害の衝突・対立を，組織の成長や問題解決につなげようとする取り組みである。表だって触れたくないネガティブなテーマを，積極的に生かす手法で，職場のコミュニケーションが改善したり，結束が強固になったりする効果がある[1)]。コンフリクト・マネジメントでは，対立しているどちらかが勝つのではなく，双方に利益をもたらすことが大切で，「Win-Win」の状態にしなければ，人間関係のしこりは解消しないからである。

コンフリクト・マネジメントは，心理学者のトーマスとキルマンの考えに基づいた手法で，彼らは意見が対立したときの人間が取る態度を5種類に分類。

1．強制→自分の意見を相手に押し付ける
2．妥協→条件をある程度お互いに譲歩する
3．服従→自分の意見を抑えて相手に従う
4．回避→意見を否定しあって終わる
5．協調→お互いにWin-Win になるように前向きな方策を考える

強制は自分だけが勝つ状態，逆に服従は相手だけが勝つ状態。回避は問題から逃げているに過ぎない態度。妥協は一見コンフリクト・マネジメントに見えるが，条件を譲るだけなので自分たちの発想を超えた解決方法は見出せない上に不満が残る。コンフリクト・マネジメントで重要なのは「協調」であり，お互いがプラスになる解決策や，従来の先を行く創造的な解決策を生み出すポジティブな態度が大切である。

コンフリクト・マネジメントを実践するには，地域のコミュニケーションを活発にし，利害の衝突を受け入れる雰囲気づくりが欠かせない。打ち合わせの場を設定する立場の方からすれば，コンフリクト・マネジメントの概念を地域の方々へ共有して意義を理解してもらうことや，意見をフラットに伝え合うような場を作ることが大切である。そのために，次のようなルールを設けると良い。

1．相手を否定・罵倒・侮辱しないこと
2．相手の立場を尊重すること
3．自分を客観的に見つめること
4．「誰が」ではなく，「何が」正しいかを考えること

とにかく，意見が感情的になると，まとまらなくなるので，まずは，お互い

に感情をコントロールし，状況を客観的に共有することが最初のステップで，次に，衝突の原因を解明して，地域が活性化する方法を前向きに提示し合うことを心掛ける。

その中から，お互いに利益をもたらす方法を選択して実行する。調整役は場を提供して終わりではなく，解決策が生まれたのかどうか，実行してコンフリクトが解消したのかも，折を見て確認することが必要である。

いずれにしても，小さなことから，コツコツと実績を積み重ね，相互信頼を得る努力が常に欠かせないということである。また，信頼を維持していくには，相互のコミュニケーションが相当必要である。

注

1）コンフリクト・マネジメントとは？利害の衝突を問題解決へ活かし，職場のコミュニケーションを改善する方法を引用し，一部修正。
https://www.kaonavi.jp/dictionary/conflict-management/（2018年 2 月 8 日閲覧）

参考文献

(1) 玉沖仁美『地域をプロデュースする仕事』英治出版，2012年。
(2) 本間義人『地域再生の条件』岩波書店，2007年。
(3) 宮副謙司『地域活性化マーケテイング』同友館，2015年。

（片山富弘）

索　引

（さ行）

（た行）

（わ行）

執筆者紹介（執筆順＊印：編者）

片山 富弘*（かたやま とみひろ）
第1章・第2章・第7章・付論1・付論2執筆
中村学園大学流通科学部教授・博士（学術）
前嶋 了二（まえしま りょうじ）
第3章・第4章・第10章執筆
中村学園大学流通科学部准教授
手嶋 恵美（てしま えみ）
第5章執筆
中村学園大学流通科学部准教授・博士（経済学）
石井 隆（いしい たかし）
第6章執筆
NPO九州総合研究所研究員
岩永 忠康（いわなが ただやす）
第8章執筆
佐賀大学名誉教授・博士（商学），NPO九州総合研究所副理事長
西島 博樹（にしじま ひろき）
第9章執筆
中村学園大学流通科学部教授・博士（学術）
草野 泰宏（くさの やすひろ）
第11章執筆
中村学園大学流通科学部准教授・博士（商学）
西 宏樹（にしひろき）
第12章執筆
鹿児島国際大学経済学部准教授

編者紹介

片山 富弘（かたやま とみひろ）
中村学園大学流通科学部教授
博士（学術）・中小企業診断士・税理士
学部・大学院にてマーケティング・マネジメント論担当

主要業績

『差異としてのマーケティング』（第5版）五絃舎，2023年。
『顧客満足対応のマーケティング戦略』五絃舎，2009年。
『流通国際化研究の現段階』（共編著）同友館，2009年。
『流通と消費者』（共著）慶応義塾大学出版，2008年。
『九州観光マスター』1級，2級，3級の監修など多数。

地域活性化への試論 —地域ブランドの視点—

2014年1月11日　第1版1刷発行
2015年9月1日　第1版2刷発行
2018年6月25日　増補改訂版発行
2023年11月30日　第3版発行

編著者：片山 富弘
発行者：長谷 雅春
発行所：株式会社五絃舎
〒173-0025　東京都板橋区熊野町46-7-402
Tel & Fax：03-3957-5587
e-mail：gogensya@db3.so-net.ne.jp
組　版：Office Five Strings
印　刷：モリモト印刷
ISBN978-4-86434-177-6　ⓒ2023